A Viajante Inglesa,

O SENHOR DOS MARES

E O IMPERADOR NA

INDEPENDÊNCIA DO BRASIL

MARY DEL PRIORE

A VIAJANTE INGLESA,

O SENHOR DOS MARES

E O IMPERADOR NA

INDEPENDÊNCIA DO BRASIL

1ª reimpressão

VESTÍGIO

Copyright © 2022 Mary Del Priore

Todos os direitos reservados pela Editora Vestígio. Nenhuma parte desta publicação poderá ser reproduzida, seja por meios mecânicos, eletrônicos, seja via cópia xerográfica, sem a autorização prévia da Editora.

DIREÇÃO EDITORIAL
Arnaud Vin

REVISÃO
Samira Vilela

EDITOR RESPONSÁVEL
Eduardo Soares

CAPA
Diogo Droschi

PREPARAÇÃO DE TEXTO
Sonia Junqueira

DIAGRAMAÇÃO
Guilherme Fagundes

**Dados Internacionais de Catalogação na Publicação (CIP)
Câmara Brasileira do Livro, SP, Brasil**

Priore, Mary Del
    A viajante inglesa, o senhor dos mares e o Imperador na Independência do Brasil / Mary Del Priore. -- 1.ed. ; 1. reimp. São Paulo : Vestígio, 2023.

    ISBN 978-65-86551-69-3

    1. Crônicas brasileiras 2. História do Brasil 3. Independência do Brasil 4. Romance histórico brasileiro I. Título.

22-97983   CDD-869.93081

Índices para catálogo sistemático:
1. Romance histórico : Literatura brasileira 869.93081

Aline Graziele Benitez - Bibliotecária - CRB-1/3129

A **VESTÍGIO** É UMA EDITORA DO **GRUPO AUTÊNTICA**

São Paulo
Av. Paulista, 2.073 . Conjunto Nacional
Horsa I . Sala 309 . Bela Vista
01311-940 São Paulo . SP
Tel.: (55 11) 3034 4468

Belo Horizonte
Rua Carlos Turner, 420
Silveira . 31140-520
Belo Horizonte . MG
Tel.: (55 31) 3465 4500

www.editoravestigio.com.br
SAC: atendimentoleitor@grupoautentica.com.br

9	Maria
32	Pedro
38	Thomas
42	Thomas
53	Pedro e Maria
63	Maria e Thomas
76	Pedro e Thomas
89	Maria e Leopoldina
101	Thomas e a Bahia
116	Maria, Pedro e Leopoldina
125	Thomas e o Maranhão
136	Thomas, Pedro e Leopoldina
146	Thomas e Maria
155	Maria e Leopoldina
170	Thomas
177	Maria
187	Pedro, Maria e Thomas
192	Bibliografia
207	Agradecimentos

O que acontece quando uma viúva tem que se reinventar, um almirante tem que ganhar batalhas e dinheiro, e um governante tem que construir um país? Os dois primeiros personagens são britânicos, observadores apurados do momento de emancipação. O terceiro, um príncipe português, que oscila entre se tornar imperador no Brasil ou voltar para um continente que sacudia as velhas monarquias. Este livro dá voz à experiência de cada um deles. Cruza diferentes olhares sobre um mesmo momento. Revela como cada qual viveu a Independência em meio a dúvidas, medo, dificuldades e soluções. O encontro entre culturas diversas – a da rica, liberal e industrializada Inglaterra, e a mentalidade escravista e arcaica do jovem país – é o cenário em que os personagens se dão as mãos para uma dança agitada, quando a história foi escrita tanto pelos que se amaram quanto pelos que se perderam lutando pelo Império do Brasil.

Maria

Ela era inglesa. Tão inglesa quanto o chá das cinco ou o presunto de York. Seu nome: Maria Graham. Tinha o rosto oval emoldurado por pequenas mechas que escapavam de um turbante. Os panos na cabeça pareciam uma excentricidade, uma teimosia, mas apenas escondiam um acidente de infância que a deixou, em parte, calva. Seus olhos eram grandes e sombrios. Empertigada e dona de uma serenidade elegante, era o tipo de mulher que poderia envelhecer bem. Sua figura nobre expressava a pertença ao Império de Sua Real Majestade Britânica. E isso não era pouca coisa: afinal, a Inglaterra dominava o mundo.

Não seria a única britânica por aqui. Desde a abertura dos portos pelo então regente D. João, em 1808, o comércio inglês com o Brasil recebeu um forte estímulo. Houve uma hemorragia de mercadores com destino ao Rio de Janeiro. A avalanche que desembarcou na esteira dos navios da corte portuguesa incluía toda espécie de negociante: desde pequenos comissários, carregando umas poucas mercadorias na cabine para economizar no frete e sem dinheiro para a passagem de volta, até comerciantes com grande capital, bom conhecimento dos hábitos de compra dos brasileiros e acesso ao mercado financeiro londrino. Com a instalação da família real e a transferência da corte, a nova metrópole do império lusitano recebia tanta mercadoria importada que o serviço da alfândega não dava conta de esvaziar os armazéns.

Os nativos agradeciam aos generosos ingleses por aquilo que os portugueses lhes negavam: cristais lapidados, lustres brilhantes, roupas de lã superfinas, selas de couro, caixõezinhos já enfeitados para enterrar crianças e até patins, cujas lâminas eram usadas pelos açougueiros para cortar carne. Os jovens agentes recém-chegados alugavam grandes lojas e dedicavam horas a andar a cavalo, pela manhã, esperando por festas à noite. Os brasileiros e alguns ingleses sensatos compravam mercadorias negociáveis, vendiam-nas em leilões a preços abaixo das cotações alfandegárias e assim estabeleciam negócios lucrativos. Os mais instruídos viam, nos ingleses aqui aportados, os cidadãos de um país aliado de Portugal e inimigo dos franceses, que haviam obrigado a família real a transportar-se às pressas para este lado do Atlântico. Ingleses eram cidadãos cujas ideias inspiravam muitos brasileiros: desde os discursos do "Imortal William Pitt" e "seus prognósticos dignos de perpétua lembrança", anunciados no *Diário do Rio de Janeiro* e vendidos em lojas de ferragens, até as obras dos economistas David Ricardo, Stuart Mill e Adam Smith, encontradas em distantes bibliotecas no interior de Minas Gerais.

Em 1812, o Brasil recebia 25% a mais de todas as mercadorias inglesas vendidas na Ásia, metade do que recebiam os Estados Unidos e as Índias Ocidentais Britânicas e mais de quatro quintos do total enviado para a América do Sul. Por volta de 1816, a Inglaterra exportava para o Brasil um fluxo estável de produtos, metade dos quais, direto para a capital, Rio de Janeiro. A cidade girava em torno de uma corte que os consumia avidamente: roupas finas, de preferência azuis e pretas, chapéus, botas e sapatos, meias de seda e algodão; cerâmica e vidro para janelas, cerveja preta engarrafada, queijo *cheshire* e manteiga; presuntos e línguas; óleos, vinho e aguardente; latas, fósforos, bronze, ferro, chumbo, explosivos, espelhos, pólvora e medicamentos. Enfim, de tudo se vendia bem.

Em troca, os comerciantes britânicos levavam ouro, diamantes e pedras preciosas; da Bahia, açúcar, algodão bruto, melaço e aguardente. Do Pará, cacau, café, arroz e salsaparrilha, gomas, drogas, couros, melaço e madeira. Do Rio Grande do Sul, a carne de charque. Eram eles que vendiam as safras brasileiras na Europa. Os ingleses passaram a ocupar a maior parte de uma fatia antes reservada aos comerciantes portugueses e, para tristeza destes, reforçaram a posição dos comerciantes locais. Temiam-se mais os escritórios comerciais ingleses do que toda a artilharia britânica. O Império de Sua Real Majestade era a mais forte potência planetária, tendo ampliado seu poder, entre 1815 e 1939, através da expansão de sua indústria, comércio, finanças e de sua capacidade bélica. Afinal, a revolução que se operou na ilha criou uma enorme distinção entre partes desenvolvidas e partes subdesenvolvidas do mundo. E as novas formas de organização comercial e inovações tecnológicas britânicas haviam aumentado desmedidamente suas possibilidades de exploração de territórios subdesenvolvidos.

Esse era o cenário do Reino do Brasil, Portugal e Algarves quando Maria chegou.

Mas o que Maria Graham veio fazer aqui?

A caminho do Chile, ela deixara as falésias brancas, verdadeira fortaleza natural da orgulhosa Albion, em 31 de julho de 1821. A bordo do navio-escola da Marinha de Guerra, a fragata *Dóris*, de vinte e quatro canhões, comandada por seu marido, Thomas Graham, Maria tinha uma função: era professora e instrutora dos jovens guardas-marinha, futuros oficiais, que realizavam uma longa viagem de instrução. E a instrução não era pouca: observação do céu e do mar para conhecer as leis que governavam as mudanças meteorológicas; estudo das obras humanas, instituições, cidades e suas populações; curiosidades sobre os mistérios da natureza; história da Grécia, Roma, Inglaterra e França. E as leituras: os ensaios do fundador das ciências William Bacon e do teólogo William Paley; literatura geral em inglês e francês; os capítulos do jurista William Blackstone sobre a história das leis e da Constituição inglesa; matemática, álgebra, astronomia náutica, teoria e prática de navegação – "isso é tudo quanto ousamos propor", cravava Maria modestamente.

Ao contrário de seus alunos, Maria era viajante experimentada. Acompanhara o pai à Índia, estivera nas Caraíbas e tinha 36 anos quando, a 21 de setembro de 1821, avistou as terras sul-americanas que tanto ansiava por conhecer. Quando a *Dóris* fundeou ao largo de Pernambuco, à espera de ordens para a aguada, foi, sem dúvida, uma viajante especial, diferente de outras inglesas que acompanhavam companheiros em cargos diplomáticos, atividades militares ou comerciais, a que se deslumbrou com a visão do casario de Recife: "[...] pensava estar bem preparada para ver Pernambuco. Mas não há preparação que evite o encantamento de que se é tomado ao entrar nesse porto extraordinário [...] Ouvíamos o troar das ondas enquanto navegávamos calma e maciamente, como num açude [...] o recife é certamente uma das maravilhas do mundo [...] ficamos assaz surpreendidos com a beleza da paisagem. Morros e vegetação, tudo parecia se combinar para o encanto dos olhos", registrou ela em seu diário de viagem.[1]

Mas... só para os "olhos ingleses". Os locais não sabiam apreciar. Seu diário registraria, dia a dia, impressões sobre costumes, cenários e gente diversa. O frescor de sua memória, a clareza do seu pensamento e a simplicidade do estilo retrataram tudo o que viu, contemplou ou estranhou. Porém, o diário revelaria, igualmente, as dobras de sua alma. Maria representava uma elite abençoada por uma educação que, ao contrário da tradição dos portugueses, não fazia distinção entre o que mulheres e homens deviam aprender. Desde a infância estudara literatura, desenho, filosofia, história geral e ciências naturais. Mas o que a distinguia de outras viajantes – considerado tipicamente britânico – era sua adesão aos princípios do liberalismo político e econômico, às ideias de progresso e ao abolicionismo. Seu idealismo era uma mistura de pragmatismo e esteticismo romântico. Membro da franja esclarecida da aristocracia inglesa, Maria viveu em ambiente no qual havia pouca preocupação financeira.

Nascida em Cockermouth, Cúmbria, cidade medieval atravessada pelo rio do mesmo nome, sua família era parte do clã escocês dos Dundas. Seu pai, oficial da Marinha, comandou uma importante fragata de trinta e dois canhões entre os anos 1798 e 1802, tendo participado de combates navais. Em 1803, George Dundas recebeu o comando das águas da Jamaica, para onde levou a filha, então com 21 anos. Há poucas informações sobre a mãe de Maria, americana da Virginia que, no início da guerra de independência dos Estados Unidos, refugiou-se na Inglaterra. Ela faleceu quando Maria tinha 8 anos. Também não havia informação sobre os tradicionais arranjos que eram, desde muito

---

[1] As citações que pontuam o texto têm referências completas ao final do livro. [N.E.]

cedo, feitos para casar as moças entre seus iguais. Ao contrário de muitas moças, Maria até então não tinha compromisso com ninguém.

Em 1808, enquanto a família real portuguesa migrava para o Brasil, pai e filha tomaram a direção da Índia, pois George fora indicado para um posto nas docas da Companhia das Índias Orientais:

> *Agora nos entregamos ao mar sem limites [...] à mercê de ventos e ondas para empreender uma viagem à metade do mundo habitado [...] levando armas em nosso castelo flutuante, suficientes para repelir um ataque, se não para ser o terror onde quer que apareçamos.*

Como tantos ingleses, Maria via o mundo como um mapa inacabado cujas imperfeições a Inglaterra corrigiria.

Aos 23 anos, durante a longa viagem, Maria se apaixonou por um oficial escocês, o jovem Thomas Graham. Terceiro filho do Laird of Fintry, ou seja, de um senhor de terras escocês, Thomas certamente não tinha dinheiro, pois, na tradição inglesa, só os primogênitos herdam. Muitos de seus tios, segundos e terceiros, tinham feito carreira e deixado seus ossos nas fronteiras do império britânico nas Índias. Pelo mesmo caminho, um dos membros da família foi assassinado na cidade santa de Benares. A carreira naval dava a pequenos e pobres aristocratas a chance de mobilidade, fortuna e reconhecimento. O rapaz que, à primeira vista, Maria achara "simpático, bem formado e rápido", tinha saúde frágil. Durante vinte e quatro dias de viagem, leram juntos uma obra do historiador romano Tácito. Ao final do livro e do trajeto, ele se declarou. E ela: "Senti seu coração bater junto ao meu. Senti tremerem seus frios lábios ao tocarem os meus".

Não mais considerada jovem, sem dote e a caminho do celibato, Maria escolheu alguém com quem pudesse dividir uma vida amigável. Como tantas mulheres de sua época, ela iria demonstrar ao marido o quanto uma mulher podia ser ajuizada, afável e, sobretudo, agradecida por essa união. Afinal, estava trocando seus insípidos serões de solidão com o pai por alguém que tinha boas maneiras e o mesmo modo de caminhar, falar ou ficar em silêncio. "Oh, Graham, possam anos de fidelidade, de adesão, de obediência e de devoção humilde por você recompensar o transporte que encheu minha alma" – registrou em seu diário.

Donos de pequenas posses, pois era obrigatório estar "economicamente maduro" para uma união, casaram-se em 1809, em Bombaim, atual Mumbai, porta obrigatória para a Índia do Sul. É possível que ela tenha se lembrado da frase dita por todas as mães inglesas às filhas, na primeira noite de núpcias: "Deite-se e pense no Império!". Durante a lua de mel no povoado de Maharata e a residência num bangalô confortável no Ceilão, os recém-casados se alternavam entre todos os tipos de doenças que os metiam em camas separadas. No tempo livre, ela aprendeu persa, fez excursões na selva, montou elefantes, assistiu à festa religiosa de Naga Panchami em Bombaim, visitou Calcutá e Maliaporan, onde desenhou seus sete templos. Depois de dois anos, retornaram à Inglaterra, e ali Maria publicou seu primeiro livro, *Diário de uma residência na Índia*, seguido de *Cartas da Índia*. Na viagem de volta, ela chorou a morte do pai.

Apesar do casamento, Maria não se tornaria tão satisfeita, tão sorridente e, finalmente, tão tola quanto tantas mulheres de sua geração. A "virtude doméstica", o mais belo ornamento da civilização inglesa, não a capturou. Trocou as torrentes de luz que o céu indiano derramava pela claridade cinzenta e as chuvas que banhavam a Inglaterra. Os filhos não vieram, e, enquanto Graham atendia aos compromissos da Marinha Real, Maria se ocupava como tradutora e editora, ou seja, com os chamados "trabalhos literários".

O caráter insular da Inglaterra, somado à estabilidade interna, favorecia, então, um espetacular desenvolvimento de atividades literárias e artísticas. Walter Scott, Robert Southey, *Lord* Byron, Jane Austen eram autores cujos livros e poemas Maria devorava. Teria ela descoberto, então, seu destino de escritora? Compreenderia que o gênio e o talento eram considerados glórias nacionais?

No inverno de 1817, num debate na Câmara dos Comuns, Maria viu, pela primeira vez, um jovem alto e ruivo vituperar contra Jorge III, defender os cidadãos de Bristol contra a burocracia do governo, os camponeses de Yorkshire contra a exploração das taxas, e falar em nome dos que não tinham representação parlamentar. Era o retrato do herói rebelde, à maneira de *Lord* Byron, poeta romântico que Maria idolatrava. Enquanto o povo apedrejava a carruagem real, aplausos choviam sobre o jovem orador, o escocês Thomas Cochrane.

Não se sabe se foi por ter ganhado dinheiro com trabalhos literários e com seu livro, se pelo tempo frio ou por um casamento morno que Maria lançou-se, em 1819, no *"Grand Tour"*. Realizar uma viagem através da França e da Itália, em busca de arte, cultura e das raízes da civilização ocidental, estava na moda. Graças a ele, a sociedade aristocrática mergulhava no legado cultural da Antiguidade Clássica e tinha oportunidade de apreciar obras de arte e ouvir peças musicais. Os ingleses se consideravam quase "gregos" e herdeiros diretos dos valores da Roma antiga. O Parlamento não se espelhava no senado romano?

O resultado foi o livro *Três meses nas montanhas a oeste de Roma* e um mergulho em história da arte que lhe permitiu redigir uma obra – *Memórias da vida de Nicolas Poussin* – sobre o pintor francês. Como Maria, Poussin amava o mundo clássico. Ambos retrataram os velhos olmos, ruínas e colunas caídas. Segundo biógrafos, nesse período Maria passou "um tempo fora". Graham, cuja carreira e saúde capengavam, tinha ido com ela. O pintor Charles Eastlake teria servido de companhia e guia nas montanhas e convivido com o casal de maneira "fraterna". Aliás, no retorno da viagem, ele os acompanhara, e moraram todos juntos em Plymouth por um bom tempo.

Mulheres que escreviam seriam perigosas? No entanto, mais e mais delas empunhavam a pluma, a pena, o pincel. Elas começavam a ler muito além de orações e receitas de cozinha. Graças à mudança de formato, os volumes agora podiam ser transportados nas bolsas, nas sacolas.

Esse foi, também, o período das viagens de exploração, dos encontros exóticos, das expedições de Bouganville, Humbolt e Cook. Foi quando a corte inglesa recebeu o taitiano Omai, e a corte francesa, a princesa albina, Quircana, do Gabão, causando sensação. Aventuras e descobertas se tornavam matéria literária, e muitos temas contribuíram para a construção da noção da superioridade ocidental europeia e, sobretudo, da britânica.

Mas foi, também, um período de invenções e de tomada de consciência do indivíduo, ao longo do qual era dada uma atenção especial à vida interior. A sensibilidade, considerada uma emoção feminina, ganhou força. O analfabetismo, em especial das mulheres, recuou. Nos meios aristocráticos, todas as mulheres liam, e a maioria escrevia.

Uma redação ou um diário eram ocupações compartilhadas com os deveres da boa dona de casa. Aproveitava-se o enclausuramento da vida doméstica para deitar no papel todo tipo de experiência real ou imaginária. Nasciam escritoras como Maria. Muitas se escondiam sob nomes masculinos para evitar preconceitos, e existiam mesmo dúvidas sobre se "escrever" era coisa de mulher. Não seriam melhores as agulhas do que as penas? Maria Edgeworth, em suas *Cartas para senhoras letradas*, de 1795, lembrava que havia quem preferisse que as mulheres trabalhassem os panos, e não os papéis. E que penas e agulhas eram rivais.

Maria era especial, mas não foi única. Na Inglaterra, um grande número de bibliotecas, clubes de leitura, editoras e escritoras borbulhavam. Seus textos não se ocupavam da guerra dos sexos, e elas não adotavam postura de vítimas. Estavam, sim, interessadas em fazer da escrita um domínio privilegiado, interior, discreto. Era a vida de suas almas, de seu espírito que aí encontrava lugar. Uma vida do que ia em seus corações. Mas também produziam muitos livros de viagens, contando suas experiências. O gênero foi, aliás, inaugurado pela conterrânea *Lady* Mary Wortley Montagu, no século XVIII, com um delicioso livro intitulado *Eu não minto tanto quanto os outros viajantes*.

Os diários escritos por Maria são o retrato perfeito do momento em que a viagem de descobertas e os sentimentos se davam as mãos. Ainda que redigidos com a tinta da "tristeza e da solidão", como anunciou a escriba, o realismo poético, o humor e, ao mesmo tempo, uma posição imperialista, imantavam o seu sentimento de pertença a uma cultura superior.

Em julho de 1820, foi dada a ordem para que os Graham partissem a bordo da *Dóris*. Thomas deveria percorrer as costas das colônias espanholas, recém-independentes. Mas, por conta de ventos e tempestades furiosas, só atravessaram o canal da Mancha a 11 de agosto.

O que se sabia da América do Sul?

Guerras haviam explodido de norte a sul do continente. Os povos se levantavam em busca de seu lugar ao sol. O duro despotismo que pairava sobre estas belas paragens parecia subitamente quebrado. Uma nova vida desabrochava. Falava-se de liberdade e de direitos. O estopim foi a revolução estadunidense, que, a 4 de julho de 1776, apresentou ao mundo uma Constituição extraordinária na qual a colônia do Novo Mundo afirmava não precisar de sua metrópole, proclamando independência. O Haiti a seguiu, libertando-se da França em 1804. Depois foi a vez de México, Argentina e Paraguai. Simón Bolívar, conhecido como El Libertador, um aristocrata que, depois de passar pela Europa napoleônica e pelos Estados Unidos, decidiu lutar pela independência da América espanhola, liderou posteriormente as lutas de independência da Venezuela, em 1811, e da Colômbia, de 1810 a 1819. Quando o casal Graham atravessou o Atlântico, ele se encontrava em Caracas, preparando a batalha de Carabobo contra o Exército Imperial espanhol. O Chile, por sua vez, acabara de declarar sua emancipação depois de uma guerra que durou de 1817 a 1819. Valparaíso, onde vivia uma forte comunidade inglesa, estava na rota da *Dóris*.

No trajeto, também o Brasil. Foi, portanto, uma mulher esclarecida, inteligente e capaz de cuidar de si mesma que aqui chegou, durante lutas que também detonariam a emancipação de Portugal. Ela não era, como queria seu conterrâneo Shakespeare, alguém "em desamor com o próprio berço [...] quase censurando Deus por tê-los feitos como eram".

Ao contrário. Para além do conhecimento e da experiência, Maria trazia a marca do pertencimento ao império mais poderoso do mundo. Império cuja armada, na qual tinha amigos e família, acompanhara a família real na vinda e na volta através do Atlântico. O próprio D. João VI, em momentos de crise, confessava sua vontade de retornar a Lisboa se aparecesse um esquadrão inglês para levá-lo de volta. Pois foi uma representante não oficial da Inglaterra que aqui arribou, em setembro de 1821.

Ao longo da viagem, Maria destilara um sentimento de superioridade. Olhava a paisagem pelos olhos do Império. Ao passar por Tenerife, observou: "As únicas coisas que dão impressão de prosperidade são as casas de campo inglesas". Sim, os ingleses, sinônimo de fortuna, segurança e força. Os mesmos que em Recife zelariam pela prataria e os bens de seus associados e amigos, refugiados com mulheres e famílias nos seus "escritórios junto ao porto". Maria, assim como os outros passageiros, sabia da situação:

Além da disposição para a revolução, que estávamos prevenidos existir, há muito, em toda parte no Brasil, havia também rivalidade entre portugueses e brasileiros, situação que os últimos acontecimentos haviam agravado em não pequeno grau.

Sim, pois quis o destino que Maria aportasse em Pernambuco nos dias agitados da revolta dos brasileiros contra Luís do Rego Barreto. Ele era um homem intransigente, que tinha servido por muito tempo no exército inglês em Portugal e na Espanha contra Napoleão. Nomeado por D. João VI, em 1817, para reprimir um primeiro movimento liberal e republicano, aterrorizou o povo pernambucano ao promover enforcamentos, esquartejamento de corpos, fuzilamentos, mortes por fogo, profanação de cadáveres e estupros. Muitos dos indivíduos executados eram padres e pacíficos homens de bem.

Luís do Rego era um fidelíssimo seguidor da monarquia absolutista, que agonizava em Portugal. Para os pernambucanos, era um tirano, símbolo odioso do despotismo da metrópole, o responsável pela implacável repressão e perseguição aos seus opositores políticos.

A devassa contra os participantes do movimento separatista de 1817, as execuções, os exílios, as prisões de ricos e pobres eram fatos bem recentes na memória dos habitantes de Pernambuco e das províncias vizinhas de Paraíba, Rio Grande do Norte e Ceará. Em fevereiro de 1821, os últimos presos políticos detidos na Bahia foram libertados, e sua volta triunfal às províncias de origem aumentou as agitações. Às vozes dos ex-revolucionários juntaram-se as reclamações sobre impostos altíssimos para sustentar a corte portuguesa no Rio, a reação contra impostos sobre a produção local de algodão e a briga de interesses entre as elites e Portugal.

O caldo se transformou num movimento armado contra Luís do Rego. Criou-se uma junta provisória de governo, em oposição à junta de Recife. Os revoltosos reivindicavam a instalação de um novo governo com administração local, para acelerar o processo de rompimento dos laços que uniam a colônia à metrópole. D. João tinha voltado a Portugal, convocado pela Revolução do Porto. Os portugueses queriam submeter as províncias brasileiras ao seu controle direto, e os pernambucanos foram os primeiros a dizer "não" à recolonização do Brasil.

Em fins de agosto de 1821, enquanto as cortes portuguesas davam os últimos retoques para aprovar sua Constituição, em Pernambuco, reunido com a junta provisória do governo, o governador Luís do Rego tentava acalmar os ânimos, assegurando aos moradores da cidade e, sobretudo, aos comerciantes portugueses, garantia e proteção contra novas sublevações. Os inimigos de Portugal, liberais e republicanos, eram chamados por ele de "insurgentes".

Pernambuco foi a primeira província a se separar de Portugal, no primeiro episódio da independência do Brasil. Foi no final de agosto, quando a fragata *Dóris* se aproximava das costas pernambucanas, que patriotas auxiliados por seiscentos homens de uma milícia armada, treinada, formada por gente da cidade, e várias companhias do batalhão de caçadores tomaram a cidade de Goiana, onde constituíram um governo provisório. Em resposta, Recife, sob o comando de Luís do Rego, pegou em armas. Em cada extremidade das principais ruas, um canhão. Nas cabeças das pontes, dois. E ambos com seus morrões acesos. Para entrar ou sair da cidade, exigia-se uma senha. A chegada da embarcação inglesa causava suspeitas: vieram para ajudar os portugueses ou os brasileiros? E Maria a matutar, com superioridade: "Duvido muito que tenham acreditado na estrita neutralidade que professamos".

Com a cidade em estado de sítio, os ingleses não puderam desembarcar logo. As autoridades britânicas sabiam, graças à correspondência dos seus comodoros à *South American Station*, que desde 1817 reinava "um estado de revolta". Que a corrente elétrica do liberalismo se disseminava em todas as direções. Que o Brasil, aparentemente adormecido, tremia em diferentes regiões, como sob o efeito de um fogo subterrâneo. Instalada pelo almirante Sydney Smith quando acompanhou a família real de Lisboa ao Rio de Janeiro, a estação funcionava como um posto avançado de observação ou de espionagem do Atlântico e do Pacífico. Ali corria que conspirações contra os Bragança iam de vento em popa. Do convés, louca para conhecer a cidade, porém, alheia aos fatos, Maria passava o tempo vendo canoas e jangadas dançarem sobre as águas.

Deixaram-na desembarcar no dia 22 de setembro, quando, acompanhada de um oficial que falava francês e português, foi recebida pela esposa do próprio governador: "Achei Madame do Rego uma senhora agradável, bem bonita e falando inglês como uma nativa, o que ela explicou, informando-me que sua mãe, a viscondessa do Rio Seco, era irlandesa". Madame Rego queria saber tudo sobre Londres! Em sua mesa, Maria comeu rosbife, "malpassado em atenção aos ingleses". Conheceu suas "adoráveis filhas" e foi apresentada ao governador, "homem de bela aparência militar", que ainda sofria das feridas resultantes de uma tentativa recente de assassinato: dois tiros!

No dia anterior à chegada dos Graham, tinham ocorrido os primeiros combates em Vila de Olinda, iniciados pelos rebeldes de Goiana, cujo quartel-general estava em Beberibe. Tratou-se de uma ação de "reconhecimento" ou de "demonstração de força" sobre Recife e Olinda, que foi rechaçada pelas tropas de Luís do Rego. E como morria gente! Dezesseis mortos, sete feridos e trinta e cinco prisioneiros, todos estes dos revoltosos. Um combate paralelo se desenrolou na área dos Afogados, ao sul da cidade. Na conta do governador, eram aproximadamente duzentos inimigos. As duas ofensivas falharam, mas resultaram em novas mortes e feridos.

À Maria, a cidade pareceu estar no auge da excitação. O povo saía de casa com o olhar curioso e assustado de quem ficou muito tempo no escuro e, então, via luz. Pelas ruas movimentadas, ela se divertiu com a diversidade de chapéus dos improvisados militares com os quais cruzou: "Ao lado de um roupão verde, vinha um algodão estampado, seguido por uma jaqueta verde com calças vermelhas; uniformes abandonados das velhas tropas portuguesas alinhavam-se com as cores mais brilhantes que Manchester pode produzir para o mercado de escravos [...] sapatos de todos os feitios que se podem imaginar para evitar o bicho de pé, desde a bota de Londres até a sola de pele crua e a sandália leve, de madeira".

A 30 de setembro, chegaram da Bahia trezentos e cinquenta homens, parte deles europeus, trazendo aos patriotas grande animação. Recife mostrou-se "ativo, alegre e vivo". Homens e mulheres saíram às ruas com roupas de festa, e cavalgadas militares cruzavam em todas as direções. E enquanto os chefes de família conversavam nas ruas com os recém-chegados, Maria observou que, às escondidas, os jovens namoravam através de sinais: das mãos, dos leques, dos olhos.

Na madrugada de 1º de outubro estourou novo confronto, na povoação dos Afogados, seguindo até o Aterro, onde uma bateria de canhões defendia a entrada de Recife. O estouro de tiros encheu os ares. Houve número significativo de mortos, a maior parte deles do lado dos goianenses. Luís do Rego sustentou que a carnificina só não foi maior porque ele teria feito "pontaria alta", ação que qualificava de "generosa". Um terceiro combate ocorreu no mesmo dia. Com o impasse militar, foram retomadas, então, as conversações.

Depois desse ataque, um grupo de uns quarenta cavaleiros, um dos quais com bandeira branca, os outros com esplêndidas fardas ou vestidos como senhores de engenho, dirigiram-se ao palácio do governador. Entre os deputados da Paraíba que foram parlamentar com Luís do Rego, havia nove membros do governo provisório, generais e senadores, entre Albuquerques e Cavalcantis, todos favoráveis à independência nacional e à liberdade civil. A maioria, contudo, ainda estava insegura quanto às reais necessidades do movimento. Na mesa de negociação, transigiu-se com o passado, tomaram-se precauções, evitou-se o Terror da França ou do Haiti e aceitaram-se meias medidas. Os deputados foram felizes, pois, na semana seguinte, dia 8 de outubro, foi assinado o acordo pelo qual eles fariam parte do conselho e da administração do governo provincial, retirando-se as tropas que cercavam Recife. Luís do Rêgo seguiria à frente do departamento militar até que viessem despachos de Lisboa, designando uma junta provisória para suas funções.

Ao deambular pela cidade, Maria teve o primeiro contato com um mercado de escravos. A imagem causou-lhe horror: cadáveres deitados entre animais imundos. Pior: cães revirando os corpos de cativos mortos e enterrados nas praias, e um "demônio" espancando uma menina. Ela voltou ao navio ao final da tarde, ao som das vozes de cativos que cantavam as Ave-Marias, com a "resolução profunda" de que tudo o que pudesse fazer em prol da abolição seria pouco. O tráfico era coisa "abominável". Havia tempos o governo inglês pressionava D. João para que se opusesse ao tráfico de escravos e extinguisse esse tipo de mão de obra, da qual o Brasil dependia inteiramente. Em vão. Ele só tomara medidas "para inglês ver".

A intensa fiscalização empreendida pelas fragatas inglesas ainda era inversamente proporcional à voracidade pelo lucro dos traficantes, que praticavam crueldades sem limites. Os capitães negreiros, quando avistavam um navio de guerra inglês, botavam ao mar a carga de negros. Os cruzadores britânicos, porém, seguiam operosos em busca das chamadas "boas presas", que, uma vez arrestadas, eram enviadas aos tribunais especiais em Freetown, Serra Leoa e no Rio de Janeiro, para julgamento e libertação dos escravos.

Enquanto o marido permanecia a bordo, Maria saía para longas cavalgadas – "fico ardendo por andar a pé ou a cavalo nos tentadores morros verdes em volta da cidade", confessava, espontânea. Fazia-se acompanhar por um casal de ingleses, morador de Recife, ou por tripulantes da *Dóris*. Criada num convés, acostumada à presença masculina, Maria borboleteava, sem constrangimento e com indisfarçável sentimento de camaradagem, entre os "jovens guardas-marinha", marinheiros, "rapazes", comandantes de navios mercantes que a acompanhavam em seus passeios. No diário, os verbos estão sempre na primeira pessoa do plural: "fomos", "cavalgamos", "estávamos". Ela nunca estava só. Mas nas festas e refeições oficiais, estava sempre em companhia feminina ou do marido.

Apesar do clima de guerra, Maria saía e retornava à cidade usando, nos postos de guarda, a senha "amigos *ingresos*", ou seja, ingleses. Segundo ela, a guarda era constituída "por um negro jovial com espingarda de matar passarinho, um brasileiro de bacamarte e dois ou três mestiços de cor duvidosa com facas, espadas e pistolas". E lamentava: "Ficamos tristes de ter que voltar para casa, mas o sol se fora, não havia luar". Maria ardia de curiosidade, registrando no diário desde o preço da farinha e da lenha à indumentária feminina. Desde a descrição da família de sertanejos ao interior das igrejas, conventos e casas. Desde as monumentais mangueiras às festas religiosas. Dos seixos azulados que cobriam as ruas, à viração que abanava as palmeiras e convidava a gente a sair de casa. Dos índios monarquistas ao beija-mão pelo aniversário do príncipe, no palácio. Segundo ela, "a vegetação era deliciosa aos olhos ingleses".

A intimidade com a família do governador Luís do Rego consolidou-se num jantar, servido em baixela de prata, em que ele muito contou "dos velhos amigos ingleses da guerra da península, com muitos dos quais eu me dava", Maria registrou, altiva. Os tempos das invasões napoleônicas haviam ficado para trás. Mas o convívio em torno da carne malpassada e dos confeitos portugueses permitiram exibir a propalada "neutralidade britânica". Foram feitos brindes "alternadamente, ao rei da Inglaterra, ao rei de Portugal, à Marinha inglesa, ao rei de França, a Luís do Rego à capitania de Pernambuco etc...". Não faltou ninguém, e juntaram-se todos a oficiais franceses de um navio de passagem, senhoras e senhores da sociedade local e os inevitáveis comerciantes "amigos ingleses". Nada mais cosmopolita. Nada mais elitista.

Houve também contato com os membros do governo provisório em torno do assunto "roupa suja". A Junta Provisória havia proibido que a "roupa pertencente ao navio, enviada à terra para lavar, voltasse ao navio". Maria foi enviada junto com uma comitiva e um intérprete para resolver o problema da lavanderia. No saguão do palácio, apinhado de soldados e feridos nas batalhas, os enviados da *Dóris* foram recebidos por nove membros do governo provisório, todos envergando belos uniformes militares. Entre eles estavam Cavalcanti de Albuquerque e o secretário do governo, um homenzinho simpático que serviu de intérprete do francês. Depois de ouvir uma arenga sobre as injustiças do governo português contra o Brasil, Maria conseguiu não só a liberação da roupa, agora limpa, mas de provisões frescas para o navio. Ela mal entendia o português, não reteve a maior parte dos nomes, mas descreveu o comandante em chefe como um português-brasileiro, moreno e gordo, de aspecto um tanto pesado. Não imaginava que iria reencontrá-lo anos depois. Seu nome: Manuel de Carvalho.

A junta queria saber se havia possibilidade de reconhecimento, por parte da Inglaterra, da independência do Brasil, tendo interrogado longamente os quatro emissários sobre vários assuntos. Ao diálogo, seguiu-se um brinde, com o conteúdo de uma garrafa de vinho com cerca de metade de água misturada. Foi apenas uma atitude ingênua de pessoas cujo radicalismo de posições parecia ultrapassar os limites do liberalismo ilustrado. Por fim, os patriotas prometeram liberar o envio de provisões à fragata estrangeira.

Quarta-feira, 10 de outubro. Fomos à terra cedo, pela primeira vez desde o armistício. Os canhões foram retirados das ruas e lojas reabriram; os negros não estão mais encerrados portas adentro e os padres reapareceram [...] fiquei impressionada com a grande preponderância da população negra. Pelo último censo, a população de Pernambuco, incluindo Olinda, chegava a setenta mil, dos quais não mais de um terço era de brancos. Os demais são negros ou mulatos. Os mulatos, em geral, são os mais ativos, mais industriosos e mais espertos que qualquer das outras classes. Acumularam grandes fortunas, em muitos casos, e estão longe de ficar para trás na campanha pela Independência do Brasil.

O que ela não deixava de se perguntar é se estariam certos aqueles patriotas ao colocar armas nas mãos dos novos negros, os recém-chegados africanos, cujas memórias da terra-mãe, do navio negreiro e do mercado de escravos estavam ainda bem frescas.

Mas a resposta estava sob seus olhos. Pois não escapou à abolicionista a mobilidade social de negros livres, que, aliás, se vestiam como os brancos: "Um negro livre, quando sua loja ou seu jardim corresponde ao seu esforço, vestindo-o e a sua mulher com um belo fato preto, um colar e pulseira para a senhora, e fivelas nos joelhos e sapatos para adornar as meias de seda, raramente se esforça muito mais e contenta-se com a alimentação diária. Muitos, de todas as cores, quando conseguem comprar um negro, descansam, dispensando-se de demais cuidados". Era o olhar do liberalismo protestante sobre a situação de negros alforriados e livres. O trabalho, e apenas o trabalho tinha mérito e levava ao progresso. Progresso, aliás, bem representado pelos afortunados mulatos, que defenderiam seus bens com o mesmo vigor de brasileiros brancos ou de ingleses.

Maria tinha chegado ao Brasil num momento em que a influência inglesa atemorizava. A gente mais simples do interior morria de medo dos "heréticos" louros, "falando língua de negro", ou seja, incompreensível. Alguns anos antes, John Mawe, mineralogista britânico em viagem a São Paulo, foi cercado pela população e teve os dedos das mãos contados pelas crianças, que corriam para ver o estranho. Na janela da casa onde se hospedou, passantes se juntavam para ver o que ele comia ou bebia. Inglês era sinônimo de "bicho", "bife", "bode", "missa-seca" ou "bíblia". Coisa de outro mundo.

Não pouco tempo antes, Percy Clinton Sydney Smythe, sexto visconde de Strangford, que acompanhou a família real em sua viagem ao Brasil, como enviado extraordinário e ministro plenipotenciário junto à corte portuguesa no Rio de Janeiro, registrava reações por outro motivo: "O ódio dos nativos em relação à Inglaterra" era mais violento do que ele poderia descrever. Os brasileiros estariam "com ciúmes e descontentes", pois consideravam os ingleses "usurpadores de seu comércio". E reclamavam dos insultos diários aos seus costumes e religião, frequentemente alvos de ironias.

O cônsul-geral e encarregado dos negócios ingleses no país, *Sir* Henry Chamberlain, que ficou no lugar de Strangford, confirmou o aumento da impopularidade retratada numa queixosa "representação" dos negociantes baianos a D. João: "Por que não vêm participar das fadigas da agricultura e querem só ter a primazia do comércio?". E os próprios baianos respondiam: "Pois construíram um império onde o sol nunca se punha, o que lhes dava todos os direitos".

Desde o século XVIII, a presença inglesa em Portugal, depois transferida ao Brasil, transformou o reino em vassalo da própria aliada. De 1808 a 1821, sua penetração no Brasil assumiu proporções tão formidáveis que D. João VI era considerado "um cônsul inglês". A permanência inglesa foi encorajada por direitos alfandegários, imunidades garantidas por tratados diplomáticos, liberdade religiosa e uma corte especial para julgar cidadãos de Sua Majestade. Depois de 1822, apesar de malquistos, tal preeminência só iria aumentar. E a influência estava não só na vida pública, como se imiscuíra na vida privada.

Em visita à casa de comerciantes portugueses, Maria constatava as marcas de sua terra natal: o piano Broadwood e as paredes "cheias de pinturas inglesas". Com os olhos de uma representante do império britânico, registrou: "O ar e as maneiras da família que visitamos, ainda que não fossem inglesas nem francesas, eram de perfeita educação, e os vestidos mais belos que a Europa civilizada, com a diferença que os homens usavam jaquetas de algodão, em vez de casacos de casimira, e estavam sem colarinho. Quando saem, vestem-se como ingleses".

Depois de um último jantar em Recife, no qual foram apresentados à "maneira brasileira de comer com os dedos" e acompanhados de banda de música, os ingleses embarcaram com as provisões garantidas. Maria ganhou, de lembrança de Madame Rego, ametistas e águas-marinhas. À luz de "um belo luar", a fragata *Dóris* levantou âncora no dia 14 de outubro, seguindo viagem rumo à Bahia. E Maria, que percorreu Recife do alto da casa do governador ao baixo das vendas de negros, avaliava:

"Deixamos Pernambuco com a firme convicção de que pelo menos esta parte do Brasil nunca mais se submeterá ao jugo de Portugal". Mal sabia o quanto ela seria espectadora e mesmo protagonista dessa mudança histórica.

Na quarta-feira, dia 17 de outubro de 1821, seus olhos "abriram-se diante de um dos mais belos espetáculos que jamais contemplei": chegara a Salvador. O cônsul britânico, Mr. Pennel, foi buscá-la para passar o dia em sua casa no espigão da Vitória, bairro preferido pelos comerciantes ingleses. O panorama encantador que avistara do convés, formado por pitorescas igrejas e fortes emoldurados pela rica vegetação, desfez-se no fedor de sarjetas a céu aberto: "É sem nenhuma exceção o lugar mais sujo em que eu tenha estado". Deixaram a "imunda cidade baixa" e, numa cadeirinha transportada por dois negros, rumaram para a Cidade Alta. O panorama mudou lentamente, dando lugar ao verde, à floresta, aos campos docemente inclinados morrendo no mar. Maravilhada, Maria se viu invadida por frescor e amenidade.

Nos dias subsequentes, sempre pelas mãos do cônsul, ela descobriria paisagens tão belas que "só um pintor ou poeta para descrevê-las", registrou. Por outro lado, visitou residências de portugueses "repugnantemente sujas" e conheceu brasileiras que "quando apareciam, dificilmente poder-se-ia acreditar que a metade delas eram senhoras de sociedade [...] o cabelo preto mal penteado e desgrenhado, amarrado inconvenientemente, ou ainda pior, em papelotes, e a pessoa toda com aparência de não ter tomado banho".

"Repugnante" era uma palavra repetida, associada a conversas sobre doenças, às igrejas como a inacabada Nossa Senhora da Conceição da Praia, ao mercado de escravos. Em tudo faltava "limpeza", até nas lojas melhores. Maria seguiu deambulando pelo hospital e igreja da Misericórdia, "antes nobre que elegante", depois foi ao colégio dos jesuítas, com suas colunas de mármore, transformado em quartel. Mas a circulação era restrita: "Há uma grande desconfiança [em relação] aos estrangeiros no presente governo; daí não ter conseguido entrar em muitos edifícios públicos".

Entre paisagens miríficas e sujeira, a Bahia e o Brasil viviam uma crise com a volta de D. João VI a Lisboa e o início da regência de Pedro em abril de 1821. A Bahia decidiu pelo rompimento com o governo do príncipe e os grupos políticos do Rio de Janeiro, sem deixar, contudo, de continuar apoiando D. João VI. A regência de Pedro era solenemente ignorada, e os impostos cobrados pela capital, também. Salvador se dividiu em dois partidos: o liberal, unindo portugueses e brasileiros, interessados em manter a condição conquistada com a vinda da corte para o país, e os lusitanos interessados na volta ao estado de dependência da metrópole. Os deputados eleitos pela província já tinham começado a elaborar a Constituição do Reino Unido de Portugal, Brasil e Algarve e, no porto, crescia o sentimento de hostilidade em relação aos estrangeiros.

Os grupos antagônicos se rasgavam. Havia muito ódio e ressentimento. Nesse clima, dezenas de famílias e soldados brasileiros começaram a deixar Salvador rumo às vilas do Recôncavo, onde começou a ganhar força a resistência à ocupação portuguesa em Salvador. Várias localidades da Bahia, entre elas São Francisco do Conde, Cachoeira, Santo Amaro, Saubara, Nazaré, Caetité, Inhambupe, Itapicuru, reuniram tropas de voluntários, que reconheciam a autoridade de D. Pedro frente ao governo do Brasil. Eles, também, passaram a colaborar com homens, mantimentos e munições para compor o Exército brasileiro, responsável pela organização da resistência no solo baiano.

Instalada em sua cabine, Maria teve notícia da nova revolução. A "10 de fevereiro", o movimento detonou um levante no forte de São Pedro, composto por oficiais e soldados brasileiros e portugueses insatisfeitos com o regime absolutista português e seu representante na Bahia, o conde da Palma. Os revoltosos conclamavam os moradores de Salvador a aderir à Revolução Constitucional de Lisboa. Em pouco tempo, o motim se espalhou pelas ruas da cidade, dividindo a população e tomando o Largo dos Aflitos, Campo Grande e a enseada da Gamboa.

Num domingo, ao voltar da elegante e pequena capela anglicana, com suas colunas neoclássicas, Maria se deparou com a revista das tropas em um pequeno campo entre o hospital de Buenos Aires e o forte de São Pedro. Foi informada de que havia seis corpos de milícia em Salvador e outros tantos no interior, como Cachoeira e Pirajá, totalizando cerca de quinze mil militares na província. Além dos oficiais de cavalaria e dos regimentos de brancos, havia regimentos de mulatos e negros livres, todos bem armados e equipados, sendo que o de negros era o mais treinado e mais ativo, como corpo de infantaria ligeira.

Numa tentativa de impedir o avanço do movimento, o conde da Palma reuniu no Senado da Câmara os membros da elite política baiana e nomeou uma Junta Provisória de Governo da Província da Bahia, escolhendo pessoalmente os seus membros em meio ao clero, negociantes, militares, senhores de engenho e plantadores. Uma Junta Provisória, no entanto, cada vez mais submissa a Lisboa e apoiada na chegada do destacamento militar intitulado Legião Constitucional Lusitana, cujos líderes eram acusados de corrupção. Um dos seus membros, segundo Maria, era um dos maiores comerciantes de escravos da cidade. A Junta "jurou obediência a D. João VI", medida comunicada a Lisboa por carta enviada ao rei. A Junta também pediu o envio de tropas portuguesas que pudessem sustentar o novo regime.

No lado oposto, militares e civis formaram uma organização que se originou numa loja maçônica e que, alguns dias depois, tentaria a deposição da Junta. Enquanto isso, jornais acendiam paixões. Proclamações convidavam os "valorosos companheiros de armas, bravos soldados" a ganhar a glória, destruir a tirania e não consentir que o Brasil ficasse nos ferros da escravidão. Mas, naqueles dias elétricos, nada pareceu abalar o funcionamento do teatro, onde Maria assistiu a "uma tragédia muito mal representada", o que talvez justificasse que "cavalheiros e damas portugueses parecessem decididos a esquecer o palco, a rir, a comer doces e tomar café, como se estivessem em casa".

Apesar de fascinada pelos "esplendores da vida animal e vegetal", a viajante intuía que as coisas não iam bem. Sentia a tensão no ar. O comportamento arbitrário do intendente de Polícia, por exemplo, não lhe escapou: "Este convoca alguns soldados de qualquer guarnição sempre que tem de agir e designa patrulhas militares também tiradas dos soldados em serviço". Tudo para manter pessoas presas sem julgamento e pilhar suas casas. Em conflitos de rua, o povo "era surrado à vontade". O clima belicoso era visível. Maria viu a revista das tropas e anotou que as leais a Portugal tinham requisitado os fuzis e a munição das demais. E concluiu: "Há assim uma disputa em que tomam parte os realistas e independentes, e todos os dias esperam-se hostilidades; mas ambos os partidos parecem tão desejosos de ficar em paz que confio que o negócio terminará sem derramamento de sangue". Teria ela achado que a situação de Recife se reproduziria em Salvador?

Na noite de 22 de outubro, uma recepção na casa do cônsul Pennel reuniu os grupos ingleses e portugueses. Segundo Maria, havia dezoito casas de comércio inglesas na Bahia e apenas duas francesas e alemãs. Os produtos manufaturados vinham direto de Liverpool. Os portugueses a impressionaram mal: todos tinham aparência desprezível, e nenhum parecia "ter qualquer educação acima dos escritórios comerciais". Segundo ela, seu tempo era gasto entre o negócio e o jogo.

Tais portugueses eram os grandes comerciantes monopolistas, instalados na Rua da Praia, na Cidade Baixa, próximo à igreja de Nossa Senhora da Conceição da Praia e do cais do porto, onde ficavam seus armazéns. Devido à sua localização na cidade, o grupo acabou sendo chamado de "Partido da Praia". Diante da Revolução do Porto e das determinações das Cortes, eles tinham uma posição bem definida: apoiavam a linha nacional-colonizadora dos liberais de Lisboa, ou seja, eram partidários da reestruturação do império português sob os moldes do monopólio comercial, que vigorou até 1808. Eram a favor do retrocesso.

Mas as tensões políticas não impediram que Maria visitasse Itaparica e a península do Bomfim, e que, junto com a tripulação, ganhasse festa na "roça", oferecida por Pennel. E, ainda, que tirasse algumas conclusões sobre o lugar onde estava: "Aqui, cada coisa, a própria natureza, tem um ar de novidade, e os europeus ficam tão evidentemente estranhos ao clima, com seus escravos africanos [...] que assumem claramente o lugar de intrusos, em desacordo com a harmonia da cena".

Em 3 de novembro, a *Dóris* suspendeu os planos de se afastar da Bahia e voltou à posição em frente ao porto, para dar proteção aos comerciantes ingleses e suas propriedades. Uma crise com novos contornos políticos se avizinhava: "O partido que se opõe a essa junta fala claramente em independência e quer que ao menos metade do governo provisório seja de brasileiros nativos. Os dissidentes pretendem apoiar D. Pedro, estabelecer ligações com o Rio de Janeiro e romper com Portugal. Exigiram, em praça pública, a deposição da junta governativa provisória e enfrentaram os soldados portugueses da Legião Constitucional Lusitana, no centro da cidade conturbada" – Maria anotou no diário.

A situação era bem mais complexa do que ela podia perceber. Na verdade, não existiam dois, como em Recife, mas três partidos: um "partido europeu", que defendia a estreita união com Portugal e seria o principal apoiador, no período subsequente, do general Madeira de Melo; um "partido aristocrata", de alguns senhores de engenho, alguns empregados públicos e alguns eclesiásticos, que queriam um governo independente de Portugal, com uma Constituição e duas Câmaras; e um "partido democrata", composto por grande parte do clero e por empregados públicos, além da maioria dos endividados senhores de engenho do interior. Minoritários, eles almejavam governos provinciais independentes, quando se veriam livres de seus credores. E falavam "abertamente em independência". Essa agitação, segundo Maria, excitava a indignação popular, tornando o clima político irrespirável.

Os partidos, que antes lhe pareciam "desejosos de paz", entraram em luta. Ao acordar, Maria foi informada de que as tropas de todos os bairros estavam reunidas. A *Dóris* recuou, afastando-se do cais. Pouco antes do meio-dia, militares e civis armados subiram a ladeira da Praça, dirigiram-se para o prédio da Câmara, ocuparam-no e tocaram o sino, convocando o povo. A seguir, com o estandarte da Câmara erguido, seguiram para a Casa dos Governadores a fim de exigir a imediata deposição da Junta. O coronel português Francisco de Paula e Oliveira reuniu os soldados e conclamou: "É a guerra de brasileiros com europeus".

A resposta veio rápida. Apoiado na Legião Lusitana, o general Madeira de Melo ocupou a praça, as ruas Direita do Palácio e da Misericórdia, a Sé e o Terreiro de Jesus. Os manifestantes foram presos e, sem permissão de comunicar-se com a família, seguiram sob escolta para o forte do Barbalho. Entre eles, dois conhecidos de Maria: o coronel Salvador Pereira e o feitor da alfândega, muito ligado à Inglaterra, José Soares: "São tidos como tendo se manifestado a favor da independência do Brasil", registrou ela. De lá, saíram transferidos para a fragata *Príncipe D. Pedro*, que, na calada da noite, os levou presos para Lisboa.

No dia seguinte, a artilharia e as tropas continuavam em posição na praça em frente ao teatro. Com a autonomia habitual, Maria foi à terra para ter notícias da família Pennel e saber se algum inglês não preferia estar em segurança na *Dóris*. Não. Todos queriam ficar com suas famílias. E ela anotou: "Não obstante os movimentos militares desses dois dias, parece mais provável que os chefes dos partidos opostos concordarão em aguardar a decisão das Cortes de Lisboa, em relação às suas queixas, e ao menos uma paz temporária sucederá esta perturbação". Mas, agora sem ilusões, arrematava: "Parece, contudo, impossível que as coisas fiquem como estão".

Nos dias subsequentes, choveu a cântaros, e prosseguiram as prisões arbitrárias. No interior, as safras de cana murchavam, e o gado não achava pasto. Os alambiques secavam. O dinâmico comércio entre províncias paralisou. Falava-se em fome na cidade. No porto, entravam e saíam navios mercantes ingleses. Os conterrâneos de Maria assistiam a tudo impassíveis: "Vários de nossos oficiais foram à terra para, junto com os sócios do clube inglês que se reúnem uma vez por mês, comerem um jantar muito bom e beberem uma quantidade imoderada de vinho em honra da Pátria". *God save the king* Jorge IV! Enquanto isso, grupos antagônicos se agrediam pelas ruas com paus e pedras. "Esbandalhavam a cidade", nas palavras de uma moradora.

No dia 16 de novembro, uma péssima notícia: "O capitão Graham foi tomado de uma doença súbita e alarmante [...] As desordens deste clima estão lamentavelmente enfraquecendo-o, atacam-lhe tanto a alma como o corpo, produzindo uma dolorosa sensibilidade ao mais leve incidente", Maria registrou no diário. Durante uma semana, o marido pouco descansou, pois os foguetes que saudavam a festa da igreja de Nossa Senhora da Conceição não deixaram. Ela, também, deu mostras de mal-estar. Mal-estar que se agravava a cada vez que olhava pela janela da cabine e via "alguma coisa desagradável". O desembarque de escravos, recém-chegados num negreiro, foi uma delas: "Pobres desgraçados"! Oito ou nove viagens faziam a fortuna dos portugueses que não tinham outra ocupação, segundo ela.

Um mês depois, com o marido restabelecido, a certeza de que Salvador se acalmara e os comerciantes britânicos estavam em segurança, seguiram viagem para o Rio de Janeiro. Mas a tranquilidade era só aparente. Longe dos olhos do império, os conflitos políticos cresciam e tomavam a forma de disputas abertas. A oposição a Lisboa estava longe de significar apoio ao jovem imperador. Não existiam partidos políticos com agendas definidas, e, mais importante ainda, não existia uma "causa brasileira". Essa estava em frouxa gestação. ❧

Pedro

A casa de Bragança tinha passado por várias mudanças desde sua instalação no Brasil, em 1808: a morte da rainha Maria I e a aclamação de D. João VI no trono, em 1816; o casamento de D. Pedro com a arquiduquesa Leopoldina, filha do imperador Francisco I da Áustria, em 1817; o nascimento dos três primeiros filhos do casal: Maria da Glória em 1819, Miguel em 1820, morto ao nascer, e João Carlos em 1821. O retorno de D. João VI a Portugal, em abril de 1821, e a nomeação de Pedro como regente do Brasil eram fatos recentes que agravavam a instabilidade e a agitação política reinante nos dois lados do Atlântico.

Tudo teve início com a vinda da família real e o enraizamento da administração pública no Sudeste, episódios que deram cara nova à antiga colônia. Enquanto o Brasil prosperava e os funcionários do Estado se casavam nas férteis terras brasileiras, graças às quais enriqueciam, Lisboa gemia. A metrópole empobrecia. A elevação da colônia a Reino Unido de Portugal e Algarves só fez acirrar as tensões. Portugal vivia como se fosse colônia de uma colônia. Os tacões da presença militar inglesa, responsável pelo sucesso do reino frente às invasões francesas, a fome e a penúria da população multiplicavam ódios. Um ano antes de Maria Graham aportar no Brasil, sentindo-se órfãos, os portugueses explodiram numa revolta.

Em agosto de 1820, o movimento iniciado pelos constitucionalistas liberais na cidade do Porto resultou na reunião das Cortes Gerais e Extraordinárias da Nação Portuguesa, para criar a primeira constituição do reino. Eles queriam o retorno do rei e a reorganização do Estado, cuja administração encontrava-se além-mar. Desejavam um novo governo de caráter liberal e, especialmente, queriam recolonizar o Brasil. Com medo de perder seu reino português se não voltasse, temeroso do que faria seu filho, se deixado no Brasil, D. João não sabia se partia ou ficava – até que os tormentosos acontecimentos que incluíram agitação militar e um ataque à assembleia de eleitores reunidos na praça do Comércio, no Rio de Janeiro, o despacharam para Lisboa.

Os ingleses acompanhavam tudo. Desde o descontentamento crescente da gente em Portugal até o embarque de D. João no Brasil. Enquanto o marechal britânico William Beresford transformara Portugal em um virtual protetorado britânico, no Rio de Janeiro, o hábil *Sir* Edward Thornton, que sucedera a Chamberlain, admoestava o rei no sentido de apressar o retorno e assumir "o naufrágio de seu próprio poder". O desastre, segundo Thornton, nascera da indiferença frente aos conselhos da Inglaterra. E mais: a Grã-Bretanha não combateria o povo português em favor da casa de Bragança, pois não interferia na política interna de seus aliados. Após a derrota de Napoleão na Europa, a Inglaterra já garantira, mediante um tratado diplomático em 1810, todas as regalias possíveis no Brasil. Agora, com os negócios fechados, urgia fazer o rei partir.

E Pedro ficou como regente. Uma biógrafa lembra que, aos 23 anos, casado de pouco e pai de um casal de filhos, o príncipe era um jovem mulherengo, que gostava de música e detestava o confinamento dos salões. Colecionava amantes e impunha à esposa uma vida infeliz. Era personagem das ruas, onde se misturava ao povo. De maneiras secas, embora amistosas, espantava os estrangeiros pela excessiva informalidade e até mesmo vulgaridade no trato com todas as pessoas, das mais nobres às mais simples. Conta um deles, o militar suíço-alemão Carl Seidler, que o conheceu então:

> *Era antes pequeno que grande, sua atitude denunciava o militar,*
> *a severa seriedade derramada sobre todos os seus gestos revelava o*

senhor. Sua cara era levemente marcada de bexigas, a parte inferior do corpo não estava em proporção simétrica com o tronco cheio, os braços eram curtos demais e os dedos, demasiado compridos; mas, incontestavelmente, à primeira vista o homem era bonito. Cabelos negros encaracolados envolviam a testa arqueada, e o olho escuro, brilhante, traduzia arrogância, despotismo e felicidade amorosa.

As circunstâncias em que se encontrava o jovem príncipe eram claras: a independência estava no ar. O crescimento da vida urbana, do culto à liberdade, de críticas ao atraso da colônia sem fábricas ou universidades, enfim, tudo era assunto para as lojas maçônicas e os comerciantes brasileiros e portugueses, animados pela Revolução Constitucionalista em curso em Portugal. Pedro simpatizava com eles e deles recebia todo o incentivo para pôr-se à frente dos acontecimentos. Com a partida do pai, Pedro seria a principal figura da cena. Audaz e cheio de iniciativa, participava de comícios e envolveu-se no jogo político.

Para ser simpático, num de seus primeiros atos à frente do governo, fez uma proclamação em que reafirmou a intenção de zelar pelo Brasil até que chegasse a Constituição de Portugal, antecipando todos os benefícios que viessem dela. Emitiu um decreto que esclarecia as condições de prisão das "pessoas livres": ninguém podia ser preso sem ordem de juiz, a não ser em caso de flagrante delito. Óbvio, o decreto não valia para escravos. Proibiu a prisão em masmorras e o uso de correntes e grilhões, "inventados para martirizar homens ainda não julgados". Eliminou a taxa de 2% sobre a navegação de cabotagem para incrementar o comércio interno. Acabou com o imposto sobre o sal e incentivou o comércio de couro e carne-seca. Fez gestos de boa vontade.

Pedro teve que enfrentar as dívidas do Estado e o caos financeiro que encontrara. O Brasil estava à beira da falência: "[...] comecei a fazer bastantes economias, principiando por mim. Mudei a minha casa para a Quinta de São Cristóvão [...] eu não faço de despesa quase nada em proporção ao que de dantes era, mas se ainda puder economizar mais, o hei de fazer pelo bem da Nação", escrevia a D. João. E lamentava-se: "Não há maior desgraça do que esta em que me vejo, que é desejar fazer o bem e arranjar tudo e não haver com quê". Apesar do desembaraço com que transitava entre os diferentes grupos, brasileiros ou portugueses, mantinha cautela. Ao final das aparições públicas, Pedro dava sempre "Vivas ao Rei meu pai".

Enquanto Maria deixava Pernambuco para chegar à Bahia, os acontecimentos se precipitaram. Até então, o Rio de Janeiro não estivera nas mãos do príncipe, mas das tropas portuguesas ali estacionadas, sob o comando do general Jorge de Avilez de Souza Tavares. Humilhado pelas decisões das Cortes portuguesas, Pedro estava reduzido às funções de um simples vice-rei, como tantos que passaram pelo Brasil. Via, assim, seu sonho de poder desfeito pelos portugueses que tinham ficado na terra. Em carta, queixava-se ao pai: "Vossa honra, senhor, exige que vosso herdeiro presuntivo seja algo mais do que simples governador de província".

O comando e o poder estavam na mão dos que apoiavam a revolução em Lisboa – logo, militares que desejavam o retorno do Brasil à condição de colônia. A reação chegou através do jornal maçônico *Revérbero Constitucional* e dos rumores de que os brasileiros queriam declará-lo rei ou imperador no dia do seu aniversário, 12 de outubro. Corria que as tropas o apoiariam.

Sempre cauteloso, ele escrevia ao pai negando participação em tais projetos: "Queriam e dizem que me querem aclamar imperador. Protesto a Vossa Majestade que nunca serei perjuro, que nunca lhe serei falso".

Pedro oscilava: partir também ou ficar? Em público, assinou a declaração de fidelidade às Cortes. Em privado, ouvia sua esposa, a arquiduquesa Leopoldina que, sobretudo, desejava preservar o trono brasileiro para os filhos. E que escrevia à irmã, Maria Luísa de Habsburgo: "O Brasil é, sob todos os aspectos, um país tão maduro e importante que é incondicionalmente necessário mantê-lo". O problema eram as "tropas portuguesas animadas pelo pior espírito".

O príncipe também não era uma unanimidade. As simpatias oscilavam em relação a ele. Não havia, entre as diferentes regiões do país, consenso sobre o centro das decisões do império, se seria o Rio de Janeiro ou Lisboa. Temia-se, ainda, uma revolta geral de escravos e uma guerra tão sangrenta quanto a que ocorrera no Haiti, o que empurrava parte da elite escravista para o lado da Coroa.

Calafrios percorriam o país, e as províncias mais distantes do Centro-Sul sentiam os tremores. Não era só nas cidades do litoral que se agitavam homens e ideias: as notícias viajavam pelos sertões distantes. Mas nem lá "brasileiros" e "portugueses" estavam claramente separados. Interesses políticos e econômicos, e mesmo diferenças culturais e sociais serviam de ingredientes para o clima de conflito, dividindo partes de uma mesma sociedade em diferentes tendências políticas. Por toda parte, pronunciamentos anunciavam a tempestade. A emancipação vinha amadurecendo desde o começo do século.

Recém-fundados, alguns jornais expressavam simpatia pelas ideias liberais. Outros, como o *Idade d'Ouro no Brasil*, explicavam o sentido de novas palavras à "porção de compatriotas menos instruídos": "Constituição é um fiel amigo de todo o cidadão, sustenta a nossa santa religião, defende a causa da nação, a pessoa do rei, a liberdade civil [...]". Sabia-se que o rei era prisioneiro das Cortes em Lisboa, e o príncipe regente estava de mãos amarradas. *O Diário do Rio de Janeiro* preferia explicar em versos: "A nossa Constituição / assegura liberdade / e mantém do cidadão / segurança e propriedade". Algumas províncias cumpriam as ordens vindas de Lisboa, outras, não. Havia uma sensação de anarquia.

29 de setembro de 1821: no dia em que, ainda em Recife, Maria assistia à festa de São Miguel, um decreto expedido pelas Cortes exigiu o retorno de Pedro a Portugal. Leopoldina, que na vida privada perdoava sem nenhuma queixa a inconstância do marido, na vida pública entendia que a permanência no Brasil asseguraria a união das províncias, a unidade da monarquia e a possibilidade de adoção de um sistema constitucional que preservasse a autoridade real. Porém, ainda mais importante: asseguraria a coroa para seus filhos.

Ela também achava necessário "que um maior número de pessoas", ou seja, de brasileiros, influísse sobre o príncipe, ainda indeciso sobre o que fazer. Em dezembro, a indecisão diminuíra. Em carta à irmã, ela contava: "Fiquei admiradíssima quando vi, de repente, aparecer meu esposo ontem à noite. Ele está mais bem-disposto em relação aos brasileiros do que eu esperava, mas não tão positivamente decidido quanto eu desejaria. Dizem que as tropas portuguesas nos obrigarão a partir. Tudo estaria perdido, torna-se absolutamente necessário impedi-lo".

E os brasileiros influíram. Organizaram-se num Clube da Resistência e enviaram emissários a outras províncias, pedindo apoio. Prepararam manifestos e colheram assinaturas que, mais à frente, levariam Pedro a ficar no Brasil. Panfletos circulavam, lamentando a situação do regente, chefe de família, lugar-tenente do rei, reduzido à condição de viajar acompanhado de aios, como se fosse criança. Enquanto o amor próprio do regente era aguilhoado, brotava um ambiente político novo, alimentado por jornais e folhetins. Quem não lia, ouvia. E quem fazia um dos dois, discutia. O liberalismo batia às portas do Brasil. ∾

Thomas

Alguém que o conheceu descreveu um homem alto, cordial e de atitudes simples. Além da altura, tinha presença. Ao caminhar, inclinava-se ligeiramente para a frente, num andar gingado de marinheiro. O rosto oval e bronzeado mostrava as sardas causadas pelo sol. Tinha o cabelo entre ruivo e acinzentado, e suíças curtas e escuras emolduravam o semblante marcado por uma expressão de calma e autocontrole. Seus olhos eram azuis e penetrantes, o nariz, em gancho, e a boca exibia um permanente sorriso de ironia. Era elegante, muito elegante, e assim foi retratado em seu tempo. Mas não só. Possuía uma excelente folha de serviços e atuou com brilhantismo contra Napoleão Bonaparte, cujos navios destroçou. O imperador francês, que o temia e admirava, o apelidou de "o Lobo do Mar". Caracterizou-se por ser um oficial zeloso do bem-estar dos comandados, embora não tolerasse infrações de disciplina. Pesquisava, planejava e sabia tudo sobre correntezas, ventos e marés, para ter o mínimo possível do que chamava de "conta do açougueiro": as baixas na tripulação.

Versadíssimo na ciência de sua profissão, era de uma intrepidez que atingia as raias da temeridade. Venerado na Europa como o maior guerreiro sobre os mares, era uma figura de mítica audácia, coragem e bravura. Conhecer Thomas Alexander Cochrane era ter certeza de que todos os homens não habitavam o mundo da mesma maneira.

Ele passara a infância na pequena Culross, plantada no estuário do rio Firth. Ali, o horizonte se estreitava no céu baixo, e o mar parecia uma sopa suja. A casa senhorial da família ficava fora do vilarejo, outrora grande exportador de sal e carvão. A natureza lá só tinha uma cor: o negro em todas as suas nuances. A água era negra, as montanhas, negras, as rochas, nuas e negras, e até as velas no mar se destacavam em negro contra um fundo cinza. O comércio com a Holanda trazia os tijolos vermelhos que permitiam erguer casas de pequenas janelas e telhados em bico denteado. Uma igreja, a velha abadia medieval em ruínas, o palácio do comerciante *Sir* George Bruce of Carnock e a praça do mercado, com sua cruz em pedra encimada por um unicórnio, símbolo da Escócia, foi tudo o que sobrou do porto, onde antes transitavam centenas de comerciantes e marinheiros.

Aos 17 anos, quando subiu num convés pela primeira vez, Thomas era, ou parecia ser, um jovem privilegiado. Descendente de uma longa linhagem de distintos militares escoceses, era o primogênito do Earl of Dundonald, título que datava de 1648, cujos ancestrais se misturaram a uma das mais importantes e antigas famílias da Escócia, os Bruce. Os Cochrane eram militares por profissão. Da Guerra dos Sete Anos à guerra de independência dos Estados Unidos, sempre estiveram na linha de frente. Mas, apesar da linhagem nobre, Thomas era pobre. Seu pai, *Sir* Archibald, o nono conde de Dundonald, desistiu da carreira na Marinha para se tornar "inventor".

A época de descobertas na química e na eletricidade convidava a novas empreitadas, e, entre outros inventos, ele encontrou a fórmula para extrair alcatrão do carvão que abundava em suas terras. Alcatrão que, revestindo os cascos dos navios, evitava as temidas cracas. Com parentes no Almirantado, apresentou sua descoberta. Recebeu como resposta que o invento prejudicaria os ganhos com reparos e novas construções. Melhor encontrar algo que "atraísse as cracas"!

O empobrecimento familiar e a mancha de corrupção que pairava sobre a Marinha britânica iriam marcar Thomas desde sempre. Enquanto, a duras penas, *Sir* Archibald tentava restaurar a fortuna da família, ele foi educado por diferentes tutores, com tempo para descobrir a natureza, a leitura, línguas estrangeiras e, sobretudo, forjar um espírito independente. Biógrafos sublinham sua inteligência excepcional, a sensibilidade frente às humilhações impostas pela falta de recursos e o incansável amor pela liberdade e pelos espaços abertos.

Thomas perdeu a mãe, que adorava, aos 9 anos. Para recuperar a fortuna, seu pai se casou em segundas núpcias com uma viúva rica e tentou enviá-lo para uma academia militar em Kensington, Londres. Além de criticar o ridículo dos uniformes, Thomas não se submetia ao regimento interno, preferindo alimentar a visão romântica de uma vida no mar. Desde então, dois traços de sua personalidade eram evidentes: seu desejo de enriquecer por mérito próprio e a rebeldia permanente contra autoridades, centrada na figura do pai.

Aos 17 anos, optou pela carreira naval, para a qual entrou graças a uma artimanha do tio, o primeiro capitão Alexander Cochrane. Ao alegar que Thomas serviu como grumete desde os 7 anos e possuía uma ficha impecável, o tio conseguiu que ele embarcasse em sua corveta, o *Hind*, como aspirante a oficial. Ali, o rapaz aprendeu todas as atividades que cabiam aos marinheiros e, também, as arriscadas manobras que o tornariam famoso. Ao contrário dos aristocratas que se negavam a fazer serviços manuais por considerá-los indignos, Thomas executava todos.

Teve carreira meteórica. Do mar do Norte, partiu para as costas da América do Norte, de onde voltou, aos 20 anos, promovido a *Acting Lieutenant*, ou seja, jovem oficial. Quando embarcou na fragata *Thetis* rumo ao Mediterrâneo, sua vida mudou. A missão principal era bloquear os portos franceses, a fim de evitar que os inimigos perturbassem a navegação inglesa. Ali, várias manobras atestaram suas qualidades, e por elas lhe foi entregue, em 1800, o comando da escuna *Speedy*.

Novos e retumbantes sucessos marcaram sua carreira: apreensão de canhoneiras e navios, presas e guarnições francesas recuperadas. Uma de suas especialidades era investir contra barcos muito maiores usando pequenos barcos incendiários que, ao bater no inimigo, explodiam e espalhavam fogo em todas as direções. "El Diablo" se tornou o terror das costas espanholas. Quando caçado por navios poderosos, Thomas se livrava deles por meio de artifícios criativos como, à noite, aparelhar uma pequena embarcação com velas, simulando recuo e fuga. Ou hastear bandeiras neutras para facilitar a aproximação dos navios inimigos. No escuro, usava seu próprio barco para atacar sem ser visto. Para capturar uma famosa fragata espanhola chamada *El Gamo*, que tinha trinta e dois canhões contra os quatorze do seu navio, ele se colocou embaixo dos canhões, de uma maneira que os espanhóis não tinham como atingi-lo. Foi, realmente, uma batalha de Davi contra Golias que entrou nos anais da história da Marinha Real da Inglaterra, já tão cheia de façanhas. ∾

Thomas

A imprensa e a opinião pública inglesa acompanhavam: Thomas era um herói. Amado por seus homens, era um líder em tempo de guerra e estrategista audacioso. Para ficar num exemplo, em um ano destruiu e apreendeu mais de cinquenta barcos inimigos. Episódios de insubordinação, contudo, criaram opositores dentro do Almirantado. Sem reconhecimento por parte de seus desafetos, ele continuava com meio soldo de paga e sem posto de capitão. A afronta o enchia de rancor. Ele parecia um canhão pronto a disparar.

Em 1802, depois da assinatura do tratado de paz com a França, a Inglaterra começou a se desarmar, desmobilizando voluntários e reduzindo a Marinha. Napoleão, ao contrário, reequipava seus estaleiros e engordava soldados. Mesmo com os navios precisando de reparos, os estaleiros britânicos foram desativados, os contratos com armadores particulares, rescindidos, e muitos equipamentos, vendidos aos franceses. *Lord* Saint Vincent, primeiro *Lord* do Mar, detestado por Thomas, usou seu prestígio para propor drásticas economias na administração naval, e dentro de poucos meses, cerca de quarenta mil marinheiros foram despedidos. Os soldos de centenas de oficiais experientes foram reduzidos à metade. O otimismo durou pouco, e, a 18 de maio de 1803, a Grã-Bretanha foi novamente forçada a declarar guerra aos franceses.

No interregno de paz com a França, entre 1801 e 1803, Thomas estudou na Universidade de Edimburgo, preparando-se para a futura vida política. Mas tão logo eclodiu a guerra, ele solicitou novo comando. Empurraram-no para o mar do Norte com a tarefa de proteger pesqueiros, tempo que ele definiu como "um espaço branco em minha vida". O rancor só aumentava. Em 1805, com amigos no Almirantado, conseguiu ser nomeado para comandar uma fragata nova, a Pallas. Sua missão: interceptar, na altura dos Açores, carregamentos de ouro e prata vindos do Novo Mundo. Retumbantes sucessos e capturas de presas vieram aumentar sua fama. Ele jamais saiu do refúgio de sua cabine sem ser recebido com deferência por todos os seus comandados. Nesse meio-tempo, candidatou-se ao Parlamento. Sua plataforma: a corrupção e os malfeitos na Marinha. Perdeu, porque negou-se a comprar votos. Voltou ao mar e, entre 1806 e 1809, no comando da *HMS Impérieuse*, acumulou vitórias dignas dos grandes romances de aventura.

Quando, em maio de 1808, os espanhóis se revoltaram contra a dominação francesa e Fernando VII aliou-se à Grã-Bretanha, Thomas mudou de alvo. Suas inenarráveis abordagens, o uso de artimanhas para enganar os franceses e as sucessivas vitórias levaram o maior romancista da época, Walter Scott, a escrever: "*Lord* Cochrane, durante o mês de setembro de 1808, com apenas um navio manteve toda a costa do Languedoc alarmada... Agindo de maneira bem planejada e previdente, conseguiu fazê-lo com a perda de um só homem". As notícias de seus feitos enchiam a imprensa de admiração. Thomas era considerado o herói da libertação espanhola. Mas não por todos. O Almirantado o repreendeu pelo excessivo gasto de munição e a contínua necessidade de reparos na *Impérieuse*. Uma operação frustrada na baía de Aix-en-Provence e o conflito com seu superior, *Lord* Gambier, a quem acusava de covardia, acenderam o pavio que explodiu sua carreira por trinta e seis anos.

Afastado das atividades navais, Thomas concentrou sua ação nos trabalhos do Parlamento. Membro da ala mais radical do partido Whig, liberal, passou, também, a colecionar inimigos entre os conservadores. No Parlamento, fustigava incansavelmente a administração da Marinha Real, sua desorganização, nepotismo e desonestidade na distribuição dos prêmios pelas presas efetuadas. Quantas vezes não teve roubado o butim que lhe correspondia nos ataques efetuados pela *Impérieuse*? E, sem meias palavras, acusava o Alto Comando de "despojar" a oficialidade do prêmio por seu esforço. A tradição era que cada barco vencido em batalha tinha sua carga e tesouro repartidos, numa escala determinada pelo Almirantado, entre capitão, oficiais e tripulação que tivessem participado do ataque. Para alguém que queria enriquecer à própria custa e via a situação paterna derreter num abismo de dívidas, as presas eram fundamentais.

Ele nunca se conformara com o fato de o valor desses prêmios sofrer descontos que iriam para o bolso de quem não lutava ou enfrentava riscos e perdas. Fácil, para quem não foi combatente, discutir sobre o modo como uma batalha seria travada. Era coisa muito diversa dirigir a luta pessoalmente, debaixo de fogo e no meio da fuligem escurecedora dos canhões. Os prêmios ou presas eram prática legal e comum na Europa. Eram a recompensa que permitiria aos marinheiros sobreviver à brutalidade das abordagens, aos membros perdidos em combate. Quem sabia o que era estar na batalha, em meio à fumaça espessa das armas que disparavam sem cessar, dos palavrões e gritos de medo, dos projéteis que deixavam restos humanos e sangue no convés? Quem sabia o que era a morte no mar, um corpo que desaparecia, deixando apenas o vazio?

O comandante que estivesse atuando em área com possibilidade de bons apresamentos era procuradíssimo. Thomas era um deles. Recusar os prêmios aos comandados resultava em motins violentos, só resolvidos com enforcamentos e surras de chicote feito com nervos de boi.

Na voz de um poeta, Pablo Neruda, a injustiça dos pagamentos à marinhagem ficava assim:

Um tenente que perde um braço recebe uma pensão de 91 libras. Um capitão que perde um braço recebe 41 libras. Um tenente que perde uma perna, 40 libras. Um tenente que perde ambas as pernas em batalha recebe 80 libras. Mas Lord *Arden goza de uma sinecura de 20.358 libras esterlinas.* Lord *Campden recebe 20.536 libras.* Lord *Buckingham, 20.683 libras. Quer dizer, o que dão a todos os feridos da frota britânica e às viúvas e filhos dos mortos em combate nem sequer alcança a sinecura de* Lord *Arden. Os Welleslley recebem 34.720 libras ao ano. Quer dizer, recebem uma soma igual a 426 pares de pernas de tenentes, e a sinecura de* Lord *Arden equivale a 1.022 braços de capitão de navio!*

Em 1812, à revelia do pai, Thomas se casou com Katherine Barnes. Como a vida do filho tinha que ser diferente da do pai, ele não se casou com uma rica e feia: preferiu uma mulher bela e pobre. Pior: uma bastarda de outra classe social, deslize imperdoável entre aristocratas. Amor à primeira vista? Sim, pois, ao voltar da guerra, Thomas foi viver com o tio Basil Cochrane em Londres, no aristocrático bairro de Portman Square. Ali, pôs os olhos numa jovem de 16 anos, órfã de uma bailarina espanhola e de um pai inglês. Ela tinha menos da metade de sua idade, o que tornava a paixão ainda mais proibida. Cabelos negros em cachos emolduravam um rosto fino e delicado em que apontava num narizinho arrebitado. A linda menina, Katherine ou Kitty, vivia sob a guarda de um tutor. Além da aparência e de suas habilidades naturais, seus bens no mercado matrimonial eram nulos. Para Thomas, as circunstâncias materiais não eram problema. Algumas semanas depois de tê-la encontrado, propôs casamento ao tutor. Como ele mesmo resumiu: "Sem uma partícula de romance em minha composição, minha vida foi a mais romântica registrada, e meu casamento, não a menor parte dela". Para o tutor, ver sua protegida casada com o futuro Earl of Dundonald não era pouca coisa.

Foi então que o tio Basil ouviu os rumores sobre o envolvimento do sobrinho com a órfã. Basil tinha reunido uma considerável fortuna graças aos seus negócios na Índia e era considerado, pela família, a única fonte de recursos. Por isso mesmo, ele acreditava que podia decidir a vida de seus futuros herdeiros. E, tal como se fazia à época, já tinha um casamento arranjado para Thomas. Como era tradição, com uma riquíssima herdeira, filha de um almirante. Detalhe: a fortuna do almirante provinha de toda a sorte de negociatas que Thomas condenava na Marinha. Tio Basil insistia: com a herança que deixaria para Thomas e a fortuna da futura noiva, ele poderia restaurar o prestígio e a posição dos Earl of Dundonald. Errado. Thomas não se curvaria a um casamento arranjado, cuja ideia, aliás, o horrorizava: "Não consigo e não farei!" – reagiu.

Enquanto tio Basil forçava Thomas, ameaçando se casar ele mesmo com a tal milionária prometida, o sobrinho não perdeu tempo. Propôs a Kitty fugir e casarem-se depois. A princípio, temerosa por sua reputação, a jovem não aceitou. Mas Thomas insistiu, e fugiram juntos para a Escócia. Na noite de 6 de agosto de 1812, acompanhados apenas dos criados pessoais, partiram numa carruagem rumo ao norte. Viajaram noite e dia até que Thomas pôde exclamar: "Graças a Deus estamos bem". Tinham chegado à Escócia. Ao cruzar a fronteira, estalando os dedos, Thomas teria dito à noiva: "Ratinha, agora, estamos na fronteira, e nada, apenas Deus, poderá nos separar. Você é minha e será minha para sempre". Casaram-se numa cerimônia civil na pequena cidade de Annan, terra dos Bruces, numa taberna, The Queensberry Arms, tendo dois criados por testemunha. A união se manteve em segredo. A família desconhecia o fato, e o casal vivia separado para manter as aparências. Só seis anos depois casaram-se na Igreja Anglicana. E mais tarde, em 1825, perante a Igreja da Escócia. O resultado: Thomas, o herói romântico, foi deserdado. A verdade é que, apesar da aparência infantil e frágil, Katherine tinha uma formidável personalidade. Sem nunca abandonar Thomas, ela enfrentou perigos e desgraças dignas de um romance de aventuras.

A primeira delas surgiu dois anos depois do casamento, quando Thomas foi envolvido num escândalo na Bolsa de Valores de Londres. Na City, companhias eram abertas e facilidades oferecidas à crescente classe média, interessada em diversificar investimentos e auferir rendas de atividades que não fossem associadas aos trabalhos manuais. A falcatrua foi organizada por um oficial francês e um seu parente, Cochrane-Johnstone. A dupla vendeu ações de uma companhia com grandes lucros, baseados na falsa notícia de que Napoleão fora assassinado por um cossaco e que a França voltara ao domínio dos Bourbons. Seus inimigos aproveitaram a coincidência dos nomes para envolver Thomas, e, graças a argumentos pífios e testemunhas suspeitas, o Almirantado o condenou a dois anos de prisão e penas pecuniárias. A revisão do julgamento, que contou até com um criminoso no banco dos acusadores, foi negada. E a suprema humilhação: diariamente, durante uma hora, Thomas seria exposto atado ao pelourinho, e poderia receber de injúrias a pedradas. As fortes manifestações contra esta última pena – até Napoleão, ao saber, declarou que seria uma infâmia aplicá-la a um herói – fizeram com que fosse dispensada.

Revoltado, Thomas fugiu da prisão e apresentou-se ao Parlamento. Queria se defender publicamente. Ali, a lembrança dos ataques violentos contra o Almirantado e seus opositores políticos não o ajudaram.

Tratando-se de penalidade desonrosa, foi expulso da Marinha Real e da Ordem Honorífica de Bath, que tinha recebido. Teve o mandato cassado. Seus eleitores, contudo, reconheceram sua inocência e o reelegeram. Mais tarde, investigações na Bolsa revelariam os autores do golpe, inocentando-o. Mas Thomas estaria longe.

Longe, pois, em 1818, o Chile lutava por sua independência da dominação espanhola. Seu representante em Londres, José Antônio Álvarez Condarco, convidou Thomas para comandar a recém-nascida Marinha do país. Um dos seus biógrafos comenta que várias interpretações explicam sua adesão a esse convite. Uma atitude de mercenário que, não tendo mais oportunidades em sua terra natal, arriscou-se em países exóticos. A possibilidade de recuperar a autoestima, arranhada pela derrota frente ao Almirantado e o escândalo da Bolsa de Valores. Ou, ainda, seu espírito liberal, colocado a serviço de novos países da América do Sul. A primeira razão pode ser descartada, pois Thomas era um homem abastado em razão dos prêmios recebidos. Fazia questão de ser pago pelo que achava lhe ser devido e lutava para que o sucesso bélico fosse acompanhado do financeiro – o que lhe rendeu a fama de ganancioso. A resposta estaria na carta na qual o representante Condarco explicava sua contratação:

> *Trata-se do mais valente marinheiro da Grã-Bretanha [...] que está resolvido a cooperar decididamente na consecução da liberdade e da independência desta parte da América. É personagem altamente recomendável, não só pelos princípios liberais com que tem apoiado a causa do povo inglês, como também porque possui caráter superior a toda pretensão ambiciosa.*

Mercenário? Não. A contratação de militares vindos de outras nações para robustecer as forças de terra ou mar de um país em guerra era fato comum e normal. Houve tempos em que quase todos os países da Europa incorporavam batalhões de mercenários em seus exércitos. Eram profissionais que, para se valorizar, deviam levar a sério seus contratos, dedicando-se aos deveres assumidos. Corriam, inclusive, os riscos de morrer ou ficar inutilizados. A denominação "mercenário" não manchava nenhuma biografia.

Para Thomas, o mar sempre fora um espaço de trabalho, mas, também, de liberdade, pois oferecia a possibilidade de mudar de vida. O Chile lhe ofereceu uma. E a região era bem conhecida dos ingleses, sobretudo de seus piratas, presentes na costa desde o século XVII. A Marinha Real, por sua vez, aproveitou as Guerras Napoleônicas para constituir uma rede de apoio à expansão militar e econômica graças a uma sucessão de portos militares, que iam do Cabo da Boa Esperança, no Sul da África, ao Ceilão e às ilhas Maurício, no oceano Índico; das ilhas Jônicas e Malta, no Mediterrâneo, a Halifax, no Atlântico Norte; e, na sequência, as ilhas Falkland, no Atlântico Sul.

A anexação desses locais, com pouca população e nenhum interesse econômico imediato, esteve pautada por objetivos geoestratégicos. Neles, a Marinha Real manteve fundeados navios de guerra controladores dos mares, e sua Marinha mercante encontrava portos seguros para reabastecimento e reaparelhamento. Tal rede estratégica, idealizada nos gabinetes de Londres e executada pela Marinha Real, garantiu o sucesso de outras importantes expansões oportunistas sobre a China, a Índia, o Pacífico e a África.

Em 1818, a guerra pela independência do Chile estava em estágio bem adiantado. Como explicou um especialista, os exércitos libertadores, comandados por O'Higgins e San Martín, haviam conquistado grandes vitórias e dominavam substancial parte do território. Mas o mar seguia livre. E dois portos serviam de base para os realistas espanhóis enviarem recursos para a resistência: Callao, no norte, e a baía de Valdívia, no sul. Caberia à Marinha mudar essa situação.

Em novembro de 1818, embarcados no *Rose*, Thomas, Kitty e dois filhos, Tom e Lizzy, deixaram o porto de Boulogne, na França. Em suas memórias, Kitty mencionou a intenção de passar pela ilha de Santa Helena e libertar Napoleão, mas registrou que as notícias do avanço espanhol apressaram a viagem. A admiração entre o general e o almirante era mútua. E Thomas, sabedor de que, antes de perder a batalha de Waterloo, Napoleão manifestara o desejo de criar uma grande república na América Latina e depois, mandar seu tenente-coronel J. M. Charles buscá-lo. Tarde demais. O homem que destruíra impérios estava morto e jamais seria imperador nas ex-colônias espanholas. O plano de Thomas seria mais um gesto de rebeldia contra a autoridade inglesa.

Até para um marinheiro experimentado como Thomas, a travessia do Cabo Horn foi difícil. No encontro entre as águas do Atlântico e do Pacífico, o vento virava para sudoeste e começava a soprar mais forte. Em dois dias, era um furacão. O mar bocejava e engolia as proas. Os barcos dançavam como caixotes vazios. O mundo era a imensidão de ondas espumantes, sob um céu tão baixo que dava para tocar com as mãos. Dia após dia, noite após noite, as ondas espumantes se atiravam sobre os conveses junto com o urro ou rufar do vento, o tumulto do mar e o barulho da água despejada no tombadilho. Havia vento, relâmpagos, granizo e neve. Exaustos, mas vivos, chegaram a Valparaíso dia 28 de novembro. Grandiosa recepção aguardava o herói dos mares. O libertador do Chile, Bernardo O'Higgins, viajou cem milhas para recebê-los, e no baile que lhes foi oferecido, Thomas se apresentou em trajes típicos da Escócia, enquanto Kitty encantava a todos com sua beleza.

Recém-criada por O'Higgins, a Marinha de guerra reunia marinheiros nacionais e oficiais estrangeiros e, apesar de ter tido êxito em algumas capturas, faltava-lhe um chefe experiente. Depois da chegada de Thomas, começaram as expedições contra os espanhóis. Apesar de algumas dificuldades, como salários de marinheiros atrasados, tensões com oficiais ambiciosos e temporais no Pacífico, as operações consolidaram a força naval. Em janeiro de 1819, com o esquadrão pronto para partir, o pequeno Tom embarcou escondido da mãe. Thomas seguiu caminho levando o menino, que participou do combate de Callao e por pouco não foi abatido. Tinha cinco anos. No ataque à fragata Esmeralda, joia da esquadra espanhola, Thomas foi dos primeiros a abordá-la, tendo sido ferido duas vezes. No Chile, era aclamado herói. Depois de Callao, a conquista de Valdívia, em fevereiro de 1820, representou a libertação quase total do Chile em relação aos espanhóis. A fortaleza marítima, aninhada na costa formada por rochas, parecia intransponível. Protegidos pela escuridão, Thomas e sua tripulação desembarcaram em pequenos botes a remo, escalaram o rochedo, renderam as sentinelas e capturaram navios, canhões, armas e munições.

Na ocasião da libertação do Peru, porém, as coisas azedaram. Após as comemorações e premiações, as intrigas e a xenofobia se instalaram. Em abril, as arriscadas operações, as discordâncias sobre as estratégias do ataque e a falta de recursos para o abastecimento da esquadra levaram Thomas a pedir demissão duas vezes. Cinco comandantes e vinte e cinco oficiais estrangeiros o acompanharam. Acuado, o ministro da Marinha chilena, José Inácio Zenteno, não só liberou os soldos atrasados, como também deu carta branca a Thomas.

As tensões tinham, doravante, outro alvo: o próprio general San Martín. O argentino, que atravessara a cordilheira para libertar o Peru e cooperara com O'Higgins na emancipação do Chile, discordava de Thomas na estratégia para invadir Callao. A personalidade calculadora e a lentidão nas decisões de San Martín atrasavam os planos do almirante, cuja marca era a impulsividade. Thomas não afrouxou os bloqueios e bombardeou Arica. Seguiu avançando pelo Norte, ocupou Tacna e Maquegua e capturou abundante material de guerra e ouro. Protegeu o desembarque do Exército Libertador em Paracas e, em setembro, depois da queda de Callao, a libertação do Peru estava concluída. E San Martín autoproclamou-se "Protetor da Nação".

Aos 25 anos, sempre ativa e bonita, Kitty, que já se encontrava há três anos em Valparaíso, quis voltar para a Inglaterra. No Chile, tinha passado por maus momentos: um louco, desejoso de ver Thomas, atacou-a com uma faca. Com os filhos, cruzou os picos gelados dos Andes, dormindo em tendas, e durante a viagem, um soldado espanhol tentou empurrá-la num precipício. Passou frio, medo e solidão. Mas ela eletrizava a tropa chilena: durante uma batalha naval, ajudou a disparar canhões. Excelente amazona, era recebida com "hurras" a cada vez que fazia uma aparição: "*que hermosa*", "*que graciosa*", "*es un angel del cielo*". Como o marido, Kitty era um ídolo. Mas as ausências constantes de Thomas, em serviço, empurraram-na de volta para casa. Deixou uma carta:

"Se eu for para a Inglaterra, estou decidida a morar em Tunbridge Wells, no mesmo *cottage* no qual eu vivia [...] Rogo ao meu querido Cochrane para me escrever regularmente, compartilhando suas penas que, peço a Deus, você não tenha mais." Kitty achava que ambos já tinham passado maus pedaços. "Meu querido marido, do qual me apartei tantas vezes, sem ter testemunhado a menor tendência para o desespero, que agora vejo nas suas cartas." E reclamando: fora deixada só, numa terra de estranhos e vilões da pior espécie. E nesse momento em que ela mais precisava de um consolo, Thomas teria perdido a força de caráter que era o orgulho dele e que ele tão bem lhe tinha ensinado.

De fato, fragilizado, Thomas se agastava com problemas e não dava atenção à família. O autoritarismo de San Martín e o não cumprimento das promessas de liberalismo azedaram definitivamente as relações entre o argentino e o inglês. Ao reclamar as presas de guerra para si e seus homens, ouviu de San Martín que ele nada lhe devia. Thomas não hesitou: abordou uma escuna carregada de ouro e valores que iam de Lima a Ancona, pagou os homens, reservou algo para a manutenção dos navios e, num gesto cavalheiresco, restituiu o resto. O fim da estadia foi atribulado. Enquanto Thomas perseguia os navios espanhóis na costa peruana até Guayaquil, a relação com San Martín só piorava, pois este, esperto, se negava a reconhecer o apresamento por alguém que fora contratado pelo Chile. Thomas reclamou com razão. Seus butins, depois de atritos, aventuras e negociações, acabaram ficando com o Peru. Porém, todos sabiam: foi somente graças a "El Diablo" que o poder naval espanhol no Pacífico naufragou definitivamente.

Apesar de herói, Thomas contava os prejuízos. Como as correntes marinhas, seus problemas pareciam não ter fim. Kitty tinha partido havia um ano. Tudo parecia ir de mal a pior até ele receber, em sua fazenda de Quintero, uma carta do cônsul brasileiro em Buenos Aires. Este o exortava a se "abandonar à munificência do Imperador e à probidade ilibada do governo de Sua Majestade, que lhe fariam justiça". Prometia, ainda, "todas as vantagens que lhe são devidas". E prosseguia: "Venha, Senhor, a honra o convida, a glória vos chama. Venha dar às nossas ramas navais a disciplina incomparável da potente Albion".

O convite tinha razões. Em setembro de 1822, Pedro decidiu ficar e declarar o Brasil livre de Portugal. Desde novembro, seu ministro do Interior e dos Negócios Estrangeiros, José Bonifácio de Andrada e Silva, foi tomando providências no novo governo. Ele considerava não apenas necessária, mas urgente, "a prontificação, no Brasil, de uma Força marítima tal que possa obrar em massa ou subdividir-se pelos diversos pontos da Costa, segundo as ocorrências". Sua preocupação não se resumia ao perigo iminente, representado pelo inconformismo de Lisboa com o rumo dos acontecimentos, e a uma tentativa desesperada de recuperar o Brasil. Tinha a ver com um projeto político de maior alcance e permanência: a consolidação de um Estado brasileiro.

Na imprensa, havia a preocupação com a invasão do jovem império por qualquer nação poderosa: "Seria descuido injustificável" o Brasil "declarar-se nação independente e não cuidar de adquirir os meios de sustentar essa independência, e os meios não são outros senão a criação de poderosa força naval" – admoestavam os jornais.

Thomas combinou um encontro com a autoridade brasileira em Buenos Aires e, marcado pela experiência sul-americana, ponderou que, se a oferta não estivesse de acordo com seus parâmetros, ele tomaria a liberdade de recusar. Fretou um navio, encheu-o com oficiais e marinheiros que trabalhavam sob seu comando e partiu. Apesar do prejuízo ao deixar o Chile, onde era idolatrado, Thomas deixou aos seus admiradores uma mensagem:

"Chilenos, meus amigos compatriotas. A independência teve que ser conquistada pelas baionetas. E a liberdade, encontrada na honestidade e nas leis da honra. Os que infringirem tais leis serão os seus inimigos, entre os quais jamais encontrarão Cochrane!" Honra, heroísmo, vitória, Thomas era sinônimo de tudo isso. E ele sabia que se, nas batalhas, morrer era a coisa mais banal, o importante era saber renascer. E renasceu mais uma vez. ༺

Pedro e Maria

Alguns dias antes da fragata *Dóris* avistar a baía da capital, entrou nela, procedente de Lisboa, o brigue de guerra Infante D. Sebastião. Às 3 da tarde do dia 9 de dezembro, a nau trazia dois decretos sancionados por D. João VI e imediatamente entregues a Pedro. O primeiro regulava o modo de governar o Brasil por meio de juntas eleitas, com papel meramente civil. As ordens viriam sempre de Portugal. O segundo determinava que o príncipe deixasse o Brasil e viajasse incógnito pela Europa, ficando as províncias brasileiras como parte das de Portugal. Surpresa e protesto geral: como?! O reino do Brasil voltaria a ser colônia?!

Ou o congresso português confiava cegamente em suas forças militares, ou estava enganado acerca do Brasil. O príncipe escrevera ao rei, várias vezes, apontando o mau estado da situação entre brasileiros e militares, comerciantes e caixeiros portugueses. A reação era visível nas Forças Armadas e na nascente imprensa nacional. Ainda assim, respondeu à carta no dia seguinte: obedeceria ao pai. Alguns militares, sabendo do conteúdo dos decretos, solicitaram aos governos provisórios de Minas e de São Paulo que pedissem a Pedro a suspensão de sua saída do Brasil. No Rio, reunidos no convento de Santo Antônio, lideranças políticas o consultaram: se as três províncias lhe pedissem para ficar, anuiria? Resposta: "Se fosse a unânime vontade dos povos do Rio, Minas e São Paulo, receberia as deputações". As delegações chegaram com assinaturas e barulho. Pedro adiou a partida.

As tropas portuguesas reagiram. O general português Avilez, seu comandante, avisou: os perturbadores da ordem pública seriam encarcerados e enviados a Lisboa. E ruminava: "Essa cabrada se leva a pau". Do outro lado da corda, os representantes do Senado da Câmara avisavam: se Pedro partisse, a independência seria fatalmente decretada. Resposta precavida do regente: atrasaria a saída até que as Cortes e D. João resolvessem o que fazer.

Longe das preocupações do jovem príncipe, no sábado, 15 de dezembro, Maria registrou: "Nada do que vi até agora é comparável em beleza à baía. Nápoles, o Firth of Forth, o porto de Bombaim e Trincomalee, cada um dos que julgava perfeito em seu gênero de beleza, todos devem preito, porque esta baía excede cada uma das outras em seus múltiplos aspectos".

O lugar era lindo e a gente, acolhedora. Ingleses acudiram, entre eles o cônsul, coronel Cunningham. No Catete, considerado um arrabalde, ela alugou, para os tripulantes doentes da *Dóris*, uma casa na qual se instalou dois dias depois. Certamente, uma chácara ao gosto inglês, com varandas e muitas árvores, pois foram eles os primeiros a morar longe do centro. Enquanto cuidava do marido, atacado de gota, Maria passeou pela cidade e fez os primeiros contatos com a sociedade da corte. A cidade tinha um ar de pressa e atividade que agradava à visitante, exceto pelo costume dos habitantes de fazer a sesta após o almoço.

A cavalo, Maria percorria Laranjeiras, o arrabalde perfumado por centenas de cítricos e cortado pelo rio Carioca, que abastecia a cidade. Comprava carnes, legumes e doces e se encantava com as flores de arbustos e trepadeiras. Enquanto o calor do verão aquecia as conversas políticas e panfletos incendiários eram distribuídos nas ruas, ela "pagava e recebia visitas da vizinhança". Na companhia do Sr. Hayne, "um dos comissários da comissão do tráfico" – ou seja, da comissão resultante do tratado de 1810, que funcionava como um torniquete na gradativa abolição do tráfico de escravos –, excursionou pelo Jardim Botânico, galopou ao longo da Lagoa e almoçou na varanda da Real Fábrica de Pólvora.

Maria se instalou no subúrbio da maior cidade da América do Sul, na corte portuguesa para a qual os destinos políticos e econômicos então convergiam. Desde 1808, a cidade era, também, a sede do quartel-general da base naval da Marinha Real Britânica na América do Sul. O intercâmbio de navios de longo curso para importação e exportação de artigos manufaturados e agrícolas competia com o comércio das embarcações de cabotagem. O porto contava com a principal Alfândega do Reino, e sua situação privilegiada fez dele uma escala obrigatória.

Barulhenta e com ares cosmopolitas, a cidade concentrava o maior número de cidadãos ingleses na província. Olhados como pessoas superiores por sua condição de britânicos e por sua fama de ricos, eles formavam uma sociedade à parte com seus piqueniques, passeios a cavalo, jantares e bailes. Sem saber, Maria cruzou o "morro do *Inglêz*", o "sítio do *Inglêz*", a rua, o beco ou ainda a "casa do *Inglêz*". O bairro da Glória, por seu conjunto arquitetônico, era considerado por viajantes "uma aldeia *ingleza*". Tudo parecia lhes pertencer, e o que lhes pertencia parecia melhor: as carruagens, as roupas, os animais e as propriedades. Em algumas fazendas, máquinas a vapor inglesas moíam cana. Nos leilões e avisos anunciados pelos jornais, muitas vezes em inglês, "palavra de *inglêz*", sinônimo de palavra de honra, ao lado de "hora *ingleza*" eram expressão de cavalheirismo e exatidão nos negócios. Maria, aliás, foi convidada por "Mr. B." para um dos bailes no qual achou as moças de "aspecto superior às da Bahia". Ou seja, quase inglesas...

Mas ela também se aproximou dos escravos, ouviu suas histórias e músicas, achou "os negros tanto livres quanto escravos alegres e felizes no trabalho. Há tanta procura deles que se encontram em pleno emprego e têm, naturalmente, boa paga". Conheceu artífices e artistas, além dos músicos da Ópera: um terço da orquestra. Pareceram-lhe "superiores aos brancos e portugueses". Maria, como tantos ingleses, desprezava a "pretendida inferioridade da raça negra".

Ela e seus doentes, agora em boa saúde, já estavam de volta à *Dóris* no dia que ela rotulou como "decisivo no destino do Brasil". A intimação vinda de Lisboa "despertou a mais viva indignação não somente no ânimo de Sua Alteza Real, mas na dos brasileiros de ponta a ponta do Reino [...] Os brasileiros esperam ardentemente que ele possa ficar e alguns há que anteveem a possibilidade de ele se declarar abertamente pela independência".

No dia 10 de janeiro, na Câmara, Pedro recebeu uma petição para que ficasse no Brasil e respondeu que, se fosse para o bem de todos e felicidade geral da nação, ficaria. Gritos de alegria, descargas de artilharia e festas. Tomados pela ansiedade geral, os ingleses se reuniam. Temerosos por suas propriedades e negócios, pediram ao *Dóris* que ficasse estacionado no Rio até a chegada de novos reforços. Alguns oficiais ingleses juntaram-se à multidão que acompanhou os acontecimentos. A manifestação começou na Câmara e seguiu em procissão pelas ruas, em meio ao entusiasmo do grande público e ao foguetório. A cidade estava brilhantemente iluminada, os fortes pareciam "castelos encantados de fogo". À noite, mais festejos no teatro: poemas, discursos impressos e distribuídos; "União e Tranquilidade" eram palavras de ordem. O hino nacional foi ouvido repetidas vezes. E a noite, segundo Maria, correu em completa harmonia. Fogos iluminaram o céu e acenderam o sorriso de todos, além do de Pedro e Leopoldina, grávida de sete meses. Mas o sorriso se apagou quando o general Avilez, comandante das tropas portuguesas, inconformado com a decisão do regente, resolveu levá-lo à força para Portugal.

A cidade começou a ferver. As tropas portuguesas deixaram os quartéis e se posicionaram. A agitação tomou conta das ruas. A reação dos quartéis à decisão do príncipe de ficar no Brasil foi instantânea: pegaram em armas. Grupos percorriam as ruas insultando transeuntes e quebrando portas e janelas.

Os ingleses estavam no teatro quando o príncipe, com voz forte, teve que acalmar a plateia ansiosa com os desacatos. Findo o espetáculo, ele despachou sua pequena família para o palácio de Santa Cruz e passou a noite carregando canhões, reunindo os diferentes corpos de milícias e as tropas nativas contra a ameaça das forças lusitanas. Enviou um recado ao *Dóris*, pedindo proteção, caso fosse necessário fugir. Discretamente, reuniu tropas favoráveis à sua decisão, e uma visita à fábrica de pólvora no Jardim Botânico tranquilizou-o sobre a quantidade de munição existente.

Dois dias depois, as tropas portuguesas e brasileiras entraram em disputa pelo comando militar. A cidade também se cindiu: no Campo de Santana, reuniram-se os batalhões brasileiros, o povo, padres armados e oficiais portugueses contrários a Avilez. Este, por sua vez, pediu demissão e assumiu o comando das tropas rebeldes. Estavam com ele cerca de dois mil homens.

Curiosa, Maria tomou uma carruagem e foi espiar. O que a movia: material para um novo livro ou a vontade de quebrar a monotonia de sua vida? Encontrou os brasileiros "resolutos em seus propósitos e determinados a defender seus lares". Uma força de oito mil homens, pelos cálculos de Maria, ocupou o caminho entre o morro do Castelo e a grande estrada para o interior, dominando também o aqueduto que abastecia a cidade de água potável. Curiosa em ver as tropas reunidas, ela foi até o Campo de Santana, no centro da cidade. Em meio aos soldados e oficiais alertas, havia oradores falando a grupos reunidos, combatentes vagando exaustos, soldados dormindo pelos cantos junto com cavalos e jumentos. Homens negros cruzavam de um lado para o outro, levavam bebida fresca e doces, davam capim e milho aos animais, enquanto os moleques brincavam em volta, como se nada estivesse acontecendo.

No morro do Castelo e no largo do Moura, portugueses em armas. Porém, a corda se partiu sem danos emergentes nem lucros cessantes. Pedro, que fingia indiferença frente aos acontecimentos, mandou chamar os generais responsáveis por tais ajuntamentos. Ambos responderam quase a mesma coisa: um estava ali para protegê-lo; outro, para se proteger. Pedro exigiu que cessassem os atos de insubordinação, e a batalha não aconteceu, pois Avilez se retirou para Niterói.

O ministro da Guerra enviou ordem de que as divisões portuguesas embarcassem de volta entre 4 e 5 de fevereiro. Do convés da *Dóris*, Maria via as tropas portuguesas se dirigindo à Praia Grande. A ansiedade era geral, e houve quem enviasse valores para bordo, por segurança. A viscondessa de Rio Seco, casada com um dos homens mais corruptos da corte, irmã da Madame Seco que Maria conheceu em Recife, foi convidada a se transferir para a fragata inglesa. Preferiu embrulhar suas joias numa trouxa de roupa suja e fugir para o interior. "Resolvemos dar um baile a bordo a fim de que possamos conhecer as pessoas da sociedade, e se alguma coisa ocorrer que torne aconselhável refugiarem-se entre nós, saberão com quem deverão entrar em contato" – registrou Maria. Um baile, com muita dança e música em meio a uma possível guerra civil, só com a fleuma britânica.

Incansável, Pedro apressava a partida das tropas portuguesas, inclusive com ameaças de que abriria fogo contra os soldados, caso se demorassem por aqui. Mas uma baixa os convidou a se apressar: a morte do pequeno príncipe da Beira, João Carlos. Para sua proteção, Leopoldina tinha sido enviada, com os dois filhinhos, para a fazenda de Santa Cruz, local de vilegiatura dos Bragança. A ideia de Pedro era proteger a família de qualquer risco. A viagem precipitada, doze léguas sob sol escaldante, em carruagem descoberta, definiu a sorte da criança, já não muito saudável.

A repercussão foi enorme: morreu o herdeiro da Coroa. Os jornais atacavam "as violências dos canibais" portugueses! Conta a biógrafa de D. Pedro que seu sofrimento foi imenso. Em carta a D. João, desabafou sobre "o golpe que minha alma e meu coração dilacerado sofreram [...] fruto da insubordinação e dos crimes da divisão portuguesa". Em carta ao pai, Leopoldina lamentava:

> *Morreu-me o meu filho de uma espécie de mal curada inflamação do fígado, em convulsões durante vinte e oito horas. Tudo isto motivado por nossa forçada fuga para Santa Cruz [...] A pobre criança sofreu horrivelmente de um calor de 98º. De modo que se pode atribuir a isso a sua morte. Não lhe posso esconder a minha dor; somente a religião, a firme confiança no Altíssimo, que tudo faz para o bem dos homens, me dão alguma resignação e sossego, mas é preciso tempo. Como isso vai acabar, só Deus sabe, nós ficamos aqui, não há mais dúvida alguma, e parece-me que para sempre.*

O menininho foi enterrado com honras, e seu caixão, conduzido por José Bonifácio, recém-ministro e recém-chegado de São Paulo. A mãe mergulhou no mais profundo desespero. Os jornais da corte elogiavam a coragem da genitora, que, disposta a proteger a prole, deixara o palácio levando o filho nos braços. Porém, o fim trágico do pequeno príncipe do Brasil acabou por insuflar ainda mais os sentimentos contrários à dominação portuguesa. Cresceu a tensão nas ruas. O povo cochichava: havia ainda a maldição que acompanhava a família Bragança e que condenava à morte os primogênitos. Fora assim com tantos Teodósios, Antônios e Josés.

Em carta à irmã, Maria Luísa, Leopoldina dizia-se inconsolável, passando noites inteiras sem dormir e muito afetada pela agitação política ao redor: "Sou extraordinariamente pessimista quanto ao futuro por causa do mau espírito que reina em toda parte. Aconteça o que acontecer, permaneceremos na América. Desde a mais tenra juventude aprendi a me conformar com tudo, por mais amargo que pareça".

Após a morte do filho, farto do adiamento do embarque das tropas para Portugal, Pedro dirigiu-se a Niterói, onde intimou os comandantes portugueses. Tinham até o dia seguinte para começar o embarque, caso contrário, os declararia inimigos, e os fortes e navios abririam fogo contra eles. Em dois dias, partiram.

Enquanto o luto cobria São Cristóvão, na cidade, as tendas se animavam e os negócios eram feitos como de costume. As lojas exibiam mercadorias inglesas. "A cada porta, as palavras saltam aos olhos: Superfino de Londres", observou Maria, listando sedas, selas, louças e ferro de Birmingham. Ela ouviu os tiros de canhão e viu as tropas alinhadas para comemorar o aniversário da princesa, mas Pedro ignorava olimpicamente a presença britânica e tinha suas razões: "Acho mais provável que os brasileiros estejam desconfiados de nós por causa da longa aliança com Portugal [...] e pensam que, pelo fato de não estarmos com eles, estamos contra eles". A intimidade de um oficial inglês, que não pertencia à *Dóris*, com as tropas portuguesas aumentou a desconfiança. Porém, tudo não passava de um dos muitos boatos que crepitavam pelas ruas.

Maria mantinha o hábito de ler os jornais diariamente desde que chegara ao Brasil. Livre da censura imposta entre 1808 e 1820, era notório o papel desempenhado no Rio pela imprensa política. Nas folhas, insultos impressos eram trocados entre os grupos antagônicos. Houve um verdadeiro surto de panfletos e pequenos jornais, reflexo direto das condições políticas que exacerbavam a participação das elites e de alguns setores das classes médias urbanas. O jornalismo que se desenvolveu nesse momento, como não poderia deixar de ser, tinha características muito específicas: era profundamente ideológico, militante e panfletário. Seu objetivo, antes mesmo de informar, era tomar posição, opinar, tendo em vista a mobilização dos leitores para as diferentes causas. Foi neles que Maria leu notícias chegadas da Bahia: lá, uma nova junta tinha sido eleita, e o general Inácio Madeira de Melo, nomeado governador das Armas. Diante dos riscos para a comunidade inglesa, a *Dóris* levantou âncora e fez-se ao mar.

Quinze dias sob vento rijo os levaram à baía de Todos os Santos. O novo governo provisório tinha sido eleito e, dos sete membros da junta, apenas um era português. Tudo parecia calmo. Maria chupou laranjas e mangas e se surpreendeu com a linguagem das gazetas, mais ousada ainda que a carioca, mais republicana e mais direta sobre fazer a independência. Sob calor intenso e dias que nadavam em luz branca, fez vários passeios a cavalo. E à noite, participou de bailes. Afinal, "os ingleses não mantinham nenhuma apreensão".

Maria se enganava, pois os comerciantes ingleses temiam a repetição das perturbações, visto que os oficiais brasileiros eram contrários ao comando do brigadeiro português. O navio ficou ancorado na baía de Todos os Santos de 8 a 16 de fevereiro, porém nada parecia justificar os temores de novas agitações. O capitão Graham decidiu então voltar ao Rio, após concluir que a Bahia estava, segundo todas as aparências, quieta.

A ideia mostrou-se inteiramente errada, pois na manhã do dia 19, Madeira de Melo atacou o forte de São Pedro e ordenou a invasão do Convento da Lapa, onde um grupo de soldados baianos buscou refúgio. Na ofensiva, foi morta a abadessa, Sóror Joana Angélica, e ferido o padre Daniel Nunes da Silva Lisboa, capelão do convento. Madeira de Melo tentou justificar o episódio perante a coroa portuguesa, mas era tarde. A morte da chamada primeira heroína da independência demarcou o início de uma guerra sangrenta. Em meio "à crise", que não era dos britânicos, a fragata levantou âncora, e dois dias depois a Bahia mergulhou em distúrbios que durariam até 2 de julho de 1823.

Antes disso, porém, Pedro compreenderia que não conseguiria ganhar a guerra que ele mesmo decretou contra Portugal. Apesar das muitas articulações e manifestações durante todo o caminho para a sua aclamação e a independência, seria necessário defender-se com o pouco que tinha. A fragmentação dos diferentes territórios, os chamados *Brazils*, era um perigo verdadeiro. E o mar seria o campo de batalha, como fora para os americanos, que venceram os ingleses sete anos antes. Para os independentistas, as ameaças à consolidação desse projeto eram muito claras: as forças navais e terrestres das Cortes de Lisboa que estavam sendo preparadas para serem enviadas ao Brasil, ou mesmo as que já se encontravam estacionadas ali e resistiam à implantação da nova ordem. E eram várias as possibilidades do inimigo: desde o emprego de forças navais para reforçar as tropas estacionadas no Brasil, alimentando a ação em terra firme, ao bloqueio de portos, a ataques ao litoral de províncias leais a Pedro e até mesmo ao Rio de Janeiro.

Valendo-se das tropas fiéis a Lisboa no Pará, no Maranhão, na Bahia e na Cisplatina, tais províncias podiam se transformar em focos de expansão do projeto recolonizador. A estratégia portuguesa consistia em forçar o Brasil a voltar à condição de colônia. O Brasil precisaria muito da ajuda daqueles que apoiavam os projetos do imperador, desejando a autonomia brasileira e, principalmente, uma unidade entre as diversas regiões que compunham o nascente império. Mas... quem? Foi nesse momento que se pensou em *Lord* Cochrane.

Após sucessivos ataques de gota, o capitão Graham parecia melhor. Outro engano: na aguada que fizeram no Rio, não deixou a cabine. Maria tinha esperanças de que o tempo fresco que encontrariam depois de cruzar o Cabo Horn faria bem a todos. Havia muitos doentes a bordo. Levaram doze dias até as ilhas Falkland.

O conflito entre ventos fortes e mar agitado mal deixava ver os despenhadeiros da costa, mergulhando abruptos na água. A temperatura caía verticalmente. Na cabine do capitão, o aquecedor roncava. O tédio levava Maria a escrever sobre lembranças passadas: um dia em Pompeia, por exemplo. No convés, o sino dava as horas. O mar crespo salpicava as vidraças como pedra. A tinta no tinteiro reproduzia o movimento das ondas. Quanto mais desciam em direção ao sul, mais o Atlântico engrossava. "Estamos envolvidos por um mar escuro e violento. Acima de nós, um céu frio, denso e escuro." Medo? Nenhum. Ao contrário: "Há um prazer em vencer ondas que parecem irresistíveis e em lutar assim com os elementos [...] se olho para fora, vejo o objeto mais grandioso e mais sublime da natureza – o oceano que ruge com toda a sua força e o homem, com toda a honra e dignidade, a lutar para dominá-lo" – escrevia a neta, filha, sobrinha e esposa de marujo. Sua vida parecia coagular-se com o movimento das vagas.

No Cabo Horn, uma tempestade de granizo e ranger de gelo. Pequenos *icebergs* à deriva assustavam tanto quanto o deque nevado. Um mês de navegação: "[...] Noites de esperanças e temores, escuridão e tempestades que agravam a desgraça dessas horas desgraçadas". Sim, havia momentos em que a ideia de morrer era tão sedutora quanto a de viver. Na noite de 9 de abril, "pude despir-me e ir à cama pela primeira vez desde que deixei o Rio de Janeiro. Estava tudo acabado. Quando acordei, foi para tomar consciência de que estava só, e viúva, com um hemisfério entre mim e meus parentes".

O capitão Thomas Graham fechou os olhos e Maria, o diário: "Minha consolação precisa vir d'Aquele que, a seu tempo, tirará todas as lágrimas de nossas faces". Ela aprendia que havia sempre mais coragem em suportar a infelicidade dos outros que a própria. No tombadilho, a cavalaria dos ventos e as rajadas de neve cobriam os mastros com tendas brancas. ∾

Maria e Thomas

Nove meses, o tempo de uma gestação, foi o que Maria passou em Valparaíso. Nos primeiros dias, se deu conta de que Graham se fora para sempre. Que ela não mais poderia recorrer ao homem que estivera sempre lá, ao seu lado. Tinha que apagá-lo. Depois das visitas oficiais de praxe, inclusive do capitão do porto, saíram juntos do barco. Ela quis enterrar o corpo em terra firme. Vê-lo desaparecer nas águas geladas do Pacífico e continuar a viagem sem ouvir sua voz na estreita cabine seria impossível. Seu túmulo, na árida colina da fortaleza, encerraria junto a juventude de Maria. Sua vida, dali em diante, seria uma tarefa, e ela estava cansada.

O que fazer? Assim que chegou a Valparaíso, tomou providências para o funeral. O governador do porto prometeu-lhe todas as honras que a igreja prescrevia. Não se sentiu, porém, em condições de continuar a viagem. Recusou as ofertas de transporte de um navio de bandeira inglesa e de outro norte-americano. Para que voltar? Assim, decidiu permanecer no Chile, mesmo sozinha, com a saúde abalada e sofrendo de melancolia.

Depois da claridade tropical do Brasil, o cenário chileno não ajudava. A linha da costa se desvanecia no crepúsculo. O Pacífico era um lençol castanho que rugia. A imensa abóboda do céu revelava um enxame de estrelas frias. A vegetação pobríssima e castigada pelos ventos emoldurava o lugar pouco atraente. Como um nome que, literalmente, significava "Vale do Paraíso" podia corresponder àquele lugar? Ao fundo, erguia-se a cordilheira dos Andes em nevada majestade. Foi convidada a ficar na casa de um comerciante inglês, de cuja janela viu transladar à terra os restos do marido. Na baía, bandeiras tremulavam a meio-pau e diversas tripulações acompanharam o ofício.

Ao desembarcar, no dia 28 de abril, Maria vira que o espaço entre a praia e a Alfândega estava coalhado de mercadorias de todo tipo: caixas, barras de ferro, barris atapetavam a rua. Entre elas, mulas à espera de serem carregadas, com seus peões vestidos com os trajes do país. Carregadores atarefados, de um lado para o outro, enchiam o ar com seus gritos. Muitos soldados acrescentavam cor à cena. A população da cidade parecia ser constituída por ingleses e americanos. Marinheiros, oficiais da Marinha, mercadores e homens de negócios davam, à recém-chegada, a impressão de estar num povoado britânico. Valparaíso era um porto sujo e feio, composto de casinhas térreas de barro, situadas num declive que parecia empurrá-las para o mar.

A 9 de maio, no prazer do silêncio, ela tomou posse de sua "casita". O bairro chamava-se Almendral, por conta das amendoeiras ali reunidas. Era o mais agradável da cidade, sem riscos de roubos ou assassinatos. O perigo era outro: terremotos. Acolhida pelos vizinhos, perambulava pelas chácaras entre árvores de frutas e pastos para cavalos. Dia 20 de maio, anotou: "O dia de hoje é um dia triste. A *Dóris* zarpou cedo, pela manhã, e voltei a sentir-me sozinha no mundo. Nela se vão as únicas relações, as únicas amizades que tinha neste extenso país [...] não posso esquecer que estou viúva e desamparada em um país estranho".

A partir de então, tudo foi assunto para o diário, sobretudo a descrição física do lugar e de seus habitantes. Observou que a água, rara, chegava por canais, e que as jovens enfeitavam as tranças com flores. Nas tendas, encontrou os produtos de Birmingham. Em todas as ruas, artesãos ingleses e os sons da língua pátria esfriavam os demais falares. Sobre as "conveniências da vida civilizada", tudo lhe parecia tão atrasado quanto os *Highlands* da Escócia séculos atrás. Porém, assombrou-se com o elevado número de pianos ingleses. Não havia casa onde não se encontrasse um, dedilhado por jovens que tocavam de ouvido. Açougues onde se salgava o cordeiro, o boi e o porco à inglesa eram comuns. As ostras vinham do Sul, e no mercado abundavam peixes e mariscos.

No boticário, achou-se em plena Idade Média, cercada de vidros com sinais cabalísticos e boiões com peles de cobra. Num canto, um carneiro empalhado, com cinco patas, vigiava os clientes. Como fez tantas vezes em Pernambuco, Bahia e Rio de Janeiro, Maria foi conhecer os arredores a cavalo. Em sua companhia, uma criada. Depois de anotar todas as espécies de plantas que observou, concluiu, sem compaixão, sobre o lugar: "Encontra-se menos bem-estar num palácio no Chile do que na choça de um lavrador escocês".

Tudo indica que Maria não foi recebida numa "tertúlia", nome que se dava aos encontros sociais em que a elite chilena acolhia os estrangeiros. Mas, seguindo a tradição do país, uma flor lhe foi oferecida por uma vizinha, em sinal de hospitalidade e atenção. Maria sabia, por outros britânicos que ali tinham passado, que a sociedade era afável. Mas sabia também que refinamento, boas maneiras, a arte da conversação, no Chile como em qualquer parte da América do Sul, estariam ausentes dos salões. Estes serviam apenas para danças, música e flertes. A cidade de Valparaíso era barata: o preço da pensão dirigida por uma irlandesa era de um dólar e meio por dia.

Instalada há pouco mais de um mês, foi almoçar no porto com conterrâneos. Embora recém-viúva, foi sensível ao comportamento de certo capitão Guise, "sumamente cortês e cavalheiro" com ela. A partir do que ouviu nas conversas, observou que muitos oficiais ingleses tinham se deslocado até o Chile exclusivamente para exercer uma "pirataria autorizada". Nas mesas das tabernas em que se encontravam compatriotas, o assunto era sempre o mesmo: os feitos de Thomas Cochrane. Alguns o criticavam, outros o punham no céu, entre os maiores heróis. Consenso, apenas, sobre a falta de pagamentos do governo chileno e os barcos tão cheios de buracos que mal flutuavam. Para muitos, a América do Sul fora apenas uma miragem de sucesso.

Dizia-se que até o presente que O'Higgins oferecera a Thomas era de má qualidade: uma propriedade no vale de Quilota, na embocadura do rio, no povoado de Concon. Corria que a terra era improdutiva e de pouco valor. As altercações sobre estratégias de guerra entre os dois comandantes também eram motivo de conversa. Pior: Thomas não escondia a animosidade contra San Martín, que nada lhe pagara dos butins que ele fez em Lima, para onde se dirigiu a fim de obter do governo peruano o prêmio pela captura da fragata *Prueva*. Porém, o temor que o almirante inspirava era tão grande, que a fortaleza de Callao se pôs de prontidão. Pânico entre os soldados. Mas Thomas não reagiu com violência e partiu para Guayaquil.

Embora passeasse pelos arredores, descobrindo a pobreza dos camponeses e anotando tipos e nomes de plantas, como já fizera no Brasil, Maria não fugia ao exame de consciência: o que fazia ali? Na hora do crepúsculo, sob um céu de chumbo, ela mastigava a solidão: "Me sentei e me pus a pensar nas esperanças e desejos que acalentava quando saí da Inglaterra e quase cheguei a questionar se não tinha passado dos limites da vida. Felizmente, tais pensamentos não duram muito".

Um aventureiro ou uma aventureira é alguém que crê em sua estrela. Que, frente às incertezas da vida, traça seu destino. E o faz convencido de que, por trás da desordem do mundo, uma ordem se desenha. Maria era dessas aventureiras. Já Thomas, ao ser acusado pelo vice-rei espanhol de "aventureiro", respondeu: "Um nobre inglês é um homem livre e tem, portanto, o direito de adotar qualquer país que está tratando de estabelecer direitos". Afirmava a tradição do individualismo e da independência do "inglês nascido livre". Ambos, por razões diversas, comprometidos com a ideia de que nenhum constrangimento os detinha.

Em início de junho, Maria foi arrancada da mesa do almoço pelos gritos do vizinho. Sob chuva e frio, ele gritava do pátio: "– Senhora, ele chegou! Ele chegou!". "– Quem chegou, meu filho?". "– Nosso Almirante. Nosso grande e querido Almirante, e se a senhora chegar na varanda, verá as bandeiras do Almirantado". Thomas tinha passado um ano fora de Valparaíso. De fato, os navios *O'Higgins* e *Valdívia* balançavam na baía, e todas as janelas das casinhas da cidade exibiam bandeiras para saudar o herói. Para Maria, Thomas não era um homem. Era uma lenda.

Logo rabiscou que precisava vê-lo por ser um amigo natural, mas, também, porque acreditava que ele poderia corrigir algumas coisas que iam mal no nascente Estado do Chile. Depois de enumerá-las – governantes incompetentes, Constituição feita às pressas, nepotismo das oligarquias etc. –, ela voltou às suas preocupações íntimas: "Que me importam estados e governos, a mim, cujo sofrimento obriga a viver em terra estranha e que posso dizer, por experiência própria, quão pouco os sofrimentos do coração humano influem em reis e leis".

No dia da procissão de Corpus Christi, depois de ouvir a missa, Maria encontrou Thomas na casa do Sr. Hoseason. Observou que ele tinha melhor aspecto do que quando o vira, na última vez, em Londres. Mas entristeceu seu coração ao pensar que a Inglaterra, ao dispensar seus serviços, procedera como o "etíope que joga pérolas aos porcos". Uma pérola que valia mais do que "toda a sua gente, junta". O assunto era um só: como encarar o protetorado do Peru quando se sabia, pois corriam notícias, que o despótico San Martín estava barbarizando seus oponentes? Discrição da parte de Thomas, que não lhe respondeu.

Do ídolo, teve que manter distância. Cruzou, sim, com seus subordinados, a quem elogiava sempre como "inteligentes e valorosos como devem ser os capitães de *Lord* Cochrane". Tornou-se amiga do cirurgião do *O'Higgins*, o doutor Craig, "uma das pessoas mais atraentes que se pode encontrar deste lado do Cabo Horn" e cuja amizade a encantava. E viu de longe o jardim onde a "bela *Lady* Cochrane" recebia os amigos para almoçar e gozar da agreste paisagem. Naquele momento, Kitty se encontrava em Londres. Já os ingleses locais, ela considerava "medíocres".

Com as mulheres chilenas, a versátil Maria comia com as mãos e falava de bruxas e milagres. Passeios a cavalo e excursões nos arredores faziam bem "a seu corpo e sua alma". Estava se sentindo melhor e mais forte. Gostou mesmo quando, ao visitar a casa do governador, pisou num "tapete inglês, aqueceu-se numa estufa inglesa cujo carvão era inglês". Nesse momento, Thomas se encontrava em Santiago, tentando receber seu pagamento e as presas que o governo devia à Armada. Segundo ela, Thomas estava cercado de "inveja de sua reputação, despeito por suas ações e medo de seus ressentimentos". Se seu pensamento voava com insistência para o que estaria ou não fazendo Thomas, seu marido não provocava qualquer saudade. Estava morto e enterrado.

No dia 2 de julho, estava Maria posta em sossego, admirando a paisagem de céu e mar, "quando ela se fez mais bela pelo som dos canhões". Thomas chegava, e, emoção!, foi tomar chá em sua casa. Ele lhe contou que tinha quatro meses de licença, um navio à disposição e que pretendia visitar uma fazenda que lhe fora oferecida pelo governo, no sul do país, que estava abandonada. Convidada, reuniu-se com ele e com amigos e, no dia seguinte, embarcaram no *Rising Start*, um navio a vapor considerado um milagre da tecnologia. Costeando a baía de Concon, chegaram a Quintero. Maria não cabia em si. Parecia esperar esse encontro há muito: "Deslizando suavemente, sem uma só vela, contra ventos e marés, levando em sua coberta uma artilharia mais forte do que já houve e conduzindo a bordo um herói". Seu nome, no Chile e no Peru, haveria de ultrapassar os dos Pizarros – predizia! E à noite viu uma cena que "jamais esqueceria": um oficial espanhol veio agradecer a Thomas o tratamento que recebeu, quando feito prisioneiro por ele, e mais, sua libertação das mãos de San Martín. E ela: inesquecível foi "a fervente expressão de reconhecimento e as palavras com que saudou seu generoso vencedor e a modéstia com que este as recebeu". Para Maria, Thomas concentrava todos os superlativos. E para o prisioneiro, Fausto del Hoyo, também. Sob sua guarda, chamava Thomas de "*el tio*", denominação carinhosa que davam os soldados espanhóis aos seus superiores.

E para Thomas, o que significaria Maria? Diferente da plebeia Kitty, Maria vinha de uma tradição aristocrática, além de se movimentar nos mesmos círculos sociais que ele conhecia. Não havia dúvidas sobre seus predicados: conversada, viajada, culta, pintora e, sobretudo, escritora. Era uma alma, como ele, incansavelmente inquieta. Os cachos negros para fora dos turbantes, o nariz grego, o pescoço elegante e lábios cheios amenizavam a aparência um tanto masculina, quebrada pela elasticidade dos movimentos de alguém acostumado a cavalgar e navegar. Porém, naquele momento, Maria teria para ele uma qualidade insubstituível: ela o considerava um herói.

A Marinha inglesa era uma família. Sim, havia brigas. Mas a maioria dos oficiais vinha de famílias tradicionais, e Thomas conhecera o pai e o marido de Maria, que serviu sob suas ordens. Por delicadeza, foi jantar com ela e, depois, a acompanhou num giro de visitas entre as famílias inglesas. Maria achava graça em encontrar personagens que lhe pareciam saídos de um romance de Jane Austen, totalmente adaptados ao clima e à vida do Chile. A associação de ideias não veio por acaso. As novelas da grande escritora romântica contavam sempre histórias de amores impossíveis. Não por acaso, também, depois desse encontro, Maria teceu longo comentário sobre a importância do "*home*" – o lar – e dos casamentos. Os ingleses traziam consigo suas esposas ou as encontrariam, do mesmo nível social, ali? "As simpatias do coração" seriam tão vívidas entre ricos quanto entre pobres – ponderava.

Junto a esse terremoto íntimo, Maria viveu outro. Curto, mas real. Viu gente de joelhos pelas ruas e camponeses a gritar "Misericórdia". Tremores eram muito frequentes na região, e também tinham assustado Kitty. E sobre as notícias da guerra, confortava-se dizendo que os navios não sairiam ao mar, nem Thomas levaria homens que não tinham sido pagos para a batalha. Ou seja, ele continuaria próximo dela, em Valparaíso. Ao final do mês de julho, sob as fortes chuvas do inverno, lia romances que "impressionavam corações" e lhe traziam "forte deleite".

Em meados de agosto, empreendeu um longo passeio a cavalo até Quintero. Encheu o diário com informações sobre a travessia cortando vinhedos e potreiros de Viña del Mar, cruzando cerros e penhascos e tentando atravessar por três vezes o rio Aconcágua para chegar à fazenda de Thomas. Custou, mas chegou. Descreveu tudo em minúcias: a laguna pontilhada de aves aquáticas, o bosque perfumado e até o vento que ali soprava e que lembrava o de Devonshire. A casa não estava na melhor localização, mirando a ferradura da baía, e também não estava acabada. "Mas quem pensa na casa quando seu amo está presente?!" – extasiava-se Maria. E da casa, passava ao proprietário:

"Embora não seja bonito, *Lord* Cochrane tem uma expressão de superioridade tal que, desde a primeira vez que é visto, deseja-se vê-lo novamente. Sua expressão varia de acordo com os sentimentos que o atravessam, mas, em geral, seu aspecto é de benevolência. Quando rompe seu silêncio habitual, sua conversa é rica e variada, clara e animada quando trata de assuntos relacionados a sua profissão. Se alguma vez conheci um gênio, posso afirmar que *Lord* Cochrane o ultrapassa." Voltou encantada para Valparaíso.

Para fugir do tédio dos dias sem Thomas, Maria resolveu visitar a capital, Santiago. Deixou sobre essa viagem um dos mais ricos relatos acerca da beleza natural, da hospitalidade e do interior das ricas casas chilenas, dotadas de tapetes, prataria e móveis ingleses. Circulou entre autoridades, assistiu a bailes e rodeios, foi recebida numa tertúlia, admirou a beleza das mulheres e, para alguém que se sentia abandonada, foi "bondosamente recebida em toda parte". Mas nada acalmava a ferida de sua alma.

Regressou a Valparaíso em setembro, quando os campos ganhavam cores, deixando o inverno para trás. Segundo registrou: "A primavera chega para todos, menos para mim. A minha passou para não voltar e esterilizou meu estio. Sem dúvida, ainda me resta a esperança, a bendita esperança de que o outono de minha vida seja mais tranquilo".

No dia 1º de outubro, registrou a preocupação: o descontentamento infeccionou o porto. Esquadrões sem dinheiro, roupa ou comida, o que resultava em raiva para todos. *Lord* Cochrane, "a despeito de seus esforços e sacrifícios pela nação e pela esquadra", estava metido numa "malévola calúnia". A origem? Os mesmos que o tinham contratado para lutar no Peru e no Chile. Gente de determinado partido político – acusava Maria. Segundo eles, Thomas teria feito um acordo privado para receber o dinheiro que deveria pagar à esquadra. A ideia era separar Thomas de seus homens, destruindo a confiança que tinham uns nos outros.

Na mesma hora, esses homens reagiram. Numa carta aberta, indignavam-se por terem ouvido as "escandalosas calúnias" encaminhadas para jogar sombras sobre o caráter do *Lord,* e desejosas de destruir a confiança e admiração que tinham por ele. Denunciavam as ameaças que pairavam sobre a esquadra e seus preciosos direitos, assim como a tentativa de extinguir a união e a confiança existentes. E que não se duvidasse: união e confiança que existiriam sempre, enquanto tivessem a honra de servir sob as suas ordens.

> *A inveja que têm do Almirante os que se veem eclipsados por ele, fortalecida pelas suspeitas a que em toda parte estão expostos os estrangeiros, goza agora de mais liberdade para desafogar sua raiva, uma vez já realizado o grande projeto de destruir o poder naval da Espanha no Pacífico [...] E essa inveja foi engenhosamente fomentada por personagens subalternos, interessados em acabar com a influência dos ingleses no Chile, especialmente por alguns agentes dos Estados Unidos de causa comum com San Martín e seus agentes.*

A fim de aliviar a tensão, Maria e Thomas reuniam-se para tomar chá com pão e mel. Ela se rendia ao herói. Seu pensamento voava para ele, suas lutas, seus assuntos. Compartilhava com o almirante o sentimento de injustiça do governo para com a Marinha e o estado de penúria da esquadra.

Foi quando San Martín desembarcou em Valparaíso. Corriam rumores sobre suas atividades. Thomas, que não o suportava, partiu para Quintero. Por que cargas d'água San Martín foi com uma comitiva visitar Maria em sua "casita"? Ali passou quatro horas. Ela achou seus olhos "escuros e belos, porém inquietos", seu rosto formoso, animado e inteligente, mas "não aberto". E seu diagnóstico: "O desejo de gozar da reputação de libertador e a vontade de ser um tirano formam nele um estranho contraste". Ele queria ser Napoleão. Apesar dos cumprimentos que lhe fez, o visitante não a impressionou.

Em finais de outubro, Thomas voltou a Santiago, tentando desesperadamente receber os pagamentos devidos a ele e a sua esquadra. Corriam boatos de que seriam pagos metade em dinheiro, metade em encargos da alfândega. Thomas, ao regressar da capital, fez armar tendas na praia e ali se instalou. Não queria ter casa paga pelo governo. Embora o governador tenha expulsado uma família de uma moradia confortável para instalá-lo, negou-se a ocupar a residência. Em início de novembro, Maria passava o dia nas tendas do almirante, longe da cidade. Thomas, por sua vez, se deprimia. A falta de pagamentos prometidos pelo governo o atormentava.

No dia 21 de novembro, Maria resolveu ir a Quintero. A noite estava belíssima, e a lua brilhava na água da baía. Foi nessa noite que ela viveu seu primeiro grande terremoto. Hospedada na casa de amigos, viu paredes ruírem e pessoas serem soterradas. Ouviu gritos de medo e angústia. Comparou a cena ao horror que vai se apoderar das almas no Juízo Final. Foi tomada por "louca angústia que agitou seu coração". Durante quarenta e cinco minutos, ela contou os repetidos tremores e sons de explosões.

Thomas e seus marinheiros, que estavam a bordo do *O'Higgins*, vieram imediatamente à terra para auxiliar as vítimas da catástrofe. No Almendral não sobrou pedra sobre pedra. Em meio ao desespero dos cidadãos, o clero incentivava o povo a levantar-se contra os hereges – no caso, os estrangeiros. Ondas imensas avançavam e recuavam sobre a praia, deixando no seco inúmeros barcos. Cidade deserta, um silêncio de cemitério. Quatro dias depois, um segundo tremor derrubou o que tinha ficado de pé.

Durante um mês, Maria anotou cuidadosamente a frequência e as características dos incansáveis tremores: suaves, mais fortes, muito fortes, violentos. No dia 9 de janeiro, escreveu: "À tarde, agradável passeio na praia com *Lord* Cochrane. Saímos com o propósito de ver o efeito do terremoto nas pedras [...] Parecia que penetrávamos no laboratório da Natureza". Voltaram ao entardecer, admirando os Andes cobertos por uma capa vermelha e rosa. Novo passeio e novas divagações: "[...] e agora que já estou acostumada, as convulsões da terra me parecem um mal menor do que poderia imaginar". Ao revirar os escombros da cidade, encontraram mais mortos do que se supunha. Os mais ricos partiram para Santiago, onde jovens com cabelos soltos, pés descalços e camisolões brancos percorriam as ruas em procissão. Os pobres continuavam acampados em barracos de palha. Alojados em camarotes pagos, os ingleses refugiaram-se nos navios de guerra em familiar promiscuidade com chilenos. Promiscuidade, mas não intimidade, pois essa é a maior das ficções para os britânicos.

Numa manhã "triste e brumosa", sozinha e a cavalo, Maria resolveu filosofar:

> *Terremotos debaixo de meus pés; prelúdios de uma guerra civil em torno de mim; meu pobre primo – Glennie, que servia na Marinha – morrendo e meu nobre amigo, o único e verdadeiro amigo que aqui tenho, próximo de deixar o país, ao menos por algum tempo. Tudo isso me deixava sem nada com que contar fora do presente, e, tal como no caminho que nesses momentos percorria, o futuro parecia envolto em densas nuvens, ou, no máximo, permitia entrever vagos vislumbres do que poderia me reservar. Em casos como esse, nasce no ser humano certa propensão a ver seus infortúnios sob um aspecto cômico. Mais de uma vez me peguei sorrindo durante o caminho ao descobrir não sei que imaginárias semelhanças entre a vida humana e as cenas que me rodeavam, ou a pensar na má estrela que traiu uma inglesa, isto é, a mais doméstica das criaturas em meio às comoções da natureza e da sociedade.*

Sim, era como se uma onda tivesse levado Maria mais longe do que ela jamais imaginara. Por trás do cenário de destruição, San Martín negociava salários e fazia ofertas inaceitáveis: boletos para receber depois, pagamento de um quinto do salário em dinheiro vivo e o restante em gêneros e mercadorias, ou entrega dos navios. Thomas recusou tudo. Ele e San Martín trocavam acusações. Segundo Maria, as do argentino eram "tão frívolas quanto desprezíveis e precisamente calculadas para excitar e fomentar a inveja que seu talento e dupla qualidade de estrangeiro e de nobre despertava nele". O pano de fundo era a possível guerra entre Chile e Peru. O governo chileno pediu a Thomas que contestasse as acusações, o que foi feito. Como consequência, pouco depois, San Martín foi alijado do governo do Peru, e as calúnias que espalhara perderam-se no ar. Thomas não só justificara seus atos de guerra como, segundo Maria, expusera a baixeza, covardia e crueldade do acusador. À época, Thomas tinha apresentado sua renúncia ao governo do Chile, que recusara.

Na comunidade inglesa arrasada, a sensação de impotência de Maria aumentava. Intuía a separação próxima. Suas noites ficavam mais sombrias. Passaram a viver todos – duas famílias de ingleses com crianças, seu primo Glennie, Thomas e criados – numa casa que resistira aos sacolejos. A calamidade reunira pessoas que nenhuma outra situação permitiria. Depois das refeições, ela e ele desciam juntos à praia...

> *[...] para gozar da vista e da música do mar que vem como as felicidades que passaram, doces e melancólicas para a alma. Hoje permanecemos longo tempo no promontório da Ferradura, para ver ocultar-se no Pacífico o último sol de 1822, que depois, se perdeu no mar; ficamos contemplando os picos dos Andes dourados pelo sol. As ondas rodeavam quase inteiramente a nossa rocha [...] meus pensamentos se voltaram para outros tempos já longínquos, em que a vida e seu gozo eram jovens, e em que tive corações que simpatizavam com o meu e amigos que sentiam comigo. O último sol do ano passado se ocultou desejando-me esperanças, quase confiança; pois agora, a generosidade de um homem, quase um estranho para mim, oferece às minhas penas um alívio passageiro. A dor e a morte fizeram de mim a sua presa; minhas maiores esperanças se desvaneceram, e terei que buscar algo que preencha minha vida para que ela não me seja insuportável. Meu companheiro me tirou de minhas reflexões, recordando-me do avançado da hora.*

Tornei à casa em silêncio e sempre entregue às minhas tristes, mas, não ingratas, recordações. Assim terminou este ano, talvez o mais desgraçado de minha vida.

Não se sabe exatamente o que aconteceu entre Maria e Thomas durante os passeios na praia e os abalos sísmicos. Ele passara o braço à volta de seu corpo? Riram como crianças? Ela estaria suficientemente envolvida para achar que, se ele tivesse roçado suas mãos com os lábios, teria se sentido beijada na boca? Nenhum dos dois confirma um romance, nem os biógrafos.

Mas os passeios se repetiram várias vezes. "Ir à praia" se constituía, então, na promessa de revelações múltiplas. Uma promessa de novos prazeres. Era possível se deliciar com o sublime das tempestades, o pitoresco dos rochedos, a beleza das pequenas baías, o desenho nas areias. Foram aqueles os tempos em que o sentimento amoroso sofreu uma transformação e, com ela, os ritos de sedução. Novos códigos permitiam manter ao mesmo tempo intatos o sexo, o pudor e os imperativos do desejo. Os afetos se misturavam ainda a novas sensibilidades frente à paisagem. O mar, as tempestades, o vento influenciavam a natureza das paixões da alma. A meteorologia dos sentimentos se confundia com as forças naturais. O prazer dos pés na areia, os cabelos ao vento, o cheiro de maresia envolviam. O estado de alma adquiria o da nuvem, o do céu. As impressões de grandiosidade da cena permitiam experimentar a profundidade do sentimento de existir. Para Maria, Thomas foi uma reviravolta do destino que influenciaria sua existência para sempre. Um momento em que ela descobria que algo dele existia nela. Teria se apaixonado por aquele homem dominador que, aos seus olhos, parecia personificar a própria supremacia britânica no mundo? Thomas, por sua vez, estava na força da idade. Suas maneiras eram elegantes, e sua polidez e conversa chegavam às raias da galanteria. Na praia, um ídolo e sua adoradora.

No dia 28 de novembro, Thomas renunciou ao posto de comando e começou a preparar sua viagem para o Brasil. Até então, segundo um biógrafo, ele recebera todo o seu pagamento, totalizando 8.160 libras e 13.000 libras em prêmios. Faltava acertar um saldo devido à esquadra.

1º de janeiro de 1823: aceleravam-se os preparativos para a viagem. Thomas quis escrever uma mensagem de adeus aos chilenos. Entre os escombros do último tremor de terra, Maria preparou a prensa litográfica. O proclama começava com a frase bombástica: "Chilenos, meus compatriotas. O inimigo comum da América sucumbiu no Chile", e Thomas aproveitava para explicar que partia, diplomaticamente, sem querer interferir em assuntos alheios a seu dever. Outra mensagem foi endereçada aos comerciantes de Valparaíso, louvando o fim do monopólio espanhol e afirmando que "se queixas houvesse sobre circunstâncias acidentais ocorridas durante a luta, ele estaria pronto a lhes dar uma resposta particular".

Diplomata, Thomas não queria acirrar o confronto entre os interesses britânicos e a elite da nova república, que olhava os negócios com cupidez. Era importante lembrar à comunidade inglesa os benefícios que seu comando lhe trouxera, ao manter o livre-comércio. Terminou agradecendo aos oficiais da Marinha chilena por sua dedicação e lealdade.

Depois de um almoço com Thomas, Maria sentiu forte abatimento. Não via de onde lhe poderia vir algum auxílio, mas ele veio. Thomas ia embora, mas queria levá-la. Ela era a viúva de um oficial inglês. Não podia ficar abandonada e sem proteção. Levaria também Glennie, o primo doente. E ela, por mão delicada e generosa, viu sair um peso de seu coração. Não hesitou em aceitar a ajuda e retornar ao Rio de Janeiro, sem revelar que tipo de expectativas acalentava. A permanência no Chile republicano tinha chegado ao limite para a inglesa viúva e sozinha. De qualquer modo, não parecia querer regressar à Inglaterra. Por quê? Não se sabe.

O convite do governo brasileiro ao futuro almirante da Marinha Nacional e Imperial do Brasil foi feito em 4 de novembro de 1822, com base em vagas promessas de um contrato temporário e informal a ser remunerado no mesmo padrão pago pelo Chile. Pressionado pelos incansáveis terremotos, o navio *Colonel Allan* apressou-se em deixar Valparaíso em 18 de janeiro de 1823. Antes de partir, Maria endereçou uma carta à Real Sociedade de Geologia a respeito do terremoto de que foi testemunha no Chile. O documento foi objeto de controvérsias e debates posteriores. No dia 15 de março de 1823, lia-se no *Diário do Governo* sobre a entrada do brigue inglês *Colonel Allan*. Passageiros: *Lord* Cochrane com seis criados, onze oficiais e uma mulher. Maria. ❧

Pedro e Thomas

O estrangeiro que chegasse ao Rio de Janeiro depois da coroação de D. Pedro como imperador iria almoçar no hotel inglês Campbell, na Rua Direita, pagar oitocentos réis e consumir uma refeição "*ao gosto inglêz*". O assunto à mesa seria outro almoço: o que Pedro teria oferecido ao rei Reho-Reho, das ilhas Sandwich, de passagem a caminho de Londres, onde iria prestar suas homenagens ao rei Jorge. A notícia, aliás, estava nos jornais estrangeiros que os paquetes ingleses traziam regularmente da Europa, e no *Rio-Herald*, publicado pela comunidade. Seus membros se reuniam numa capela próxima do Passeio Público, onde aos domingos era celebrado o ofício para os residentes. Cometiam-se infrações, o código criminal ou o sistema judiciário brasileiro eram ignorados e os criminosos, julgados por um "juiz conservador" inglês: um privilégio extraterritorial.

A bandeira com a cruz de São Jorge tremulava na Alfândega, e adivinhe-se: quem oferecia crédito aos comerciantes brasileiros? Nas poucas livrarias já era possível se adquirir a *Nova Grammatica portugueza e ingleza, a qual serve para instruir os portuguezes na língua ingleza*, editada por Hipólito José da Costa, em 1808. Os ingleses compunham a classe mais respeitada por sua influência, seus privilégios e sua longa permanência, "razão pela qual a todo forasteiro bem vestido chamam aqui de '*Senhor Inglêz*'" – observou o viajante proveniente de Riga, no Báltico, Ernest Ebel. E arrematou:

Estritamente inglês é seu modo de vida; as mulheres só se dão com suas compatriotas. A maioria mora em chácaras nos arrabaldes, onde os maridos passam as noites, assim como os feriados.

Presentes, também, alemães, já mesclados à gente da terra e casados com portuguesas. Sua atividade comercial começava a se fortalecer. "Os franceses são de longe a colônia mais numerosa, mas, constituída na maior parte de *boutiquiers*, não gozam de maior consideração, raras sendo as exceções. Quanto ao elemento feminino, dizem que muitas pertencem ao mundo galante", concluía o mesmo Ebel. *Galante*, na época, era um eufemismo para *prostituição*.

O Rio de Janeiro tinha se tornado uma cidade cosmopolita, empenhada em manter seu comércio e formar seu exército. Aliás, em carta a um amigo, Pedro afirmava que, apesar do pouco reconhecimento político pela independência, "não deixam de entrar diariamente neste porto navios de todas as nações, motivo por que o comércio tem aumentado". O dinheiro não podia esperar, muito menos a defesa das fronteiras.

Depois do nascimento de mais duas filhas, Januária e Maria Paula, a agora imperatriz Leopoldina, novamente grávida, deixou de lado o papel exclusivo de mãe e esposa para empenhar-se em fortalecer o exército e fazer reconhecer o Brasil pela comunidade internacional. Afinal, na imprensa, era conhecida como "mãe dos brasileiros". Suas cartas ao príncipe de Metternich, o todo-poderoso chanceler de Fernando I, surtiram efeito a médio prazo. A Áustria custou, mas acabou reconhecendo o império. Ela mesma, inspirada no uniforme da Guarda de seu pai, desenhou o da Guarda de Honra do marido: fardas brancas com cabor escarlate. A imperatriz Leopoldina também trabalhou junto com o major Von Schäffer, agente de imigração brasileira na Europa, para trazer colonos e mercenários estrangeiros para o Brasil. Apesar do casamento em frangalhos, a sofrida Leopoldina servia até como intérprete entre os soldados e Pedro, que tinha enorme orgulho de seu batalhão de granadeiros alemães.

Reconhecendo as dificuldades impostas por alguns países europeus a esse tipo de iniciativa, o primeiro-ministro José Bonifácio recomendava que o recrutamento fosse feito sob o "disfarce de colonos e (em) condições favoráveis ao Tesouro Público deste reino, devendo esses soldados vir logo armados e equipados". Foi nessas circunstâncias que Ebel viu desembarcar dos navios alemães cerca de quinhentos colonos alemães: "Esses homens agora desembarcados haviam sido contratados por ordem do Imperador pelo conhecido Conselheiro Schaeffer [...] Na maioria, jovens imprudentes engajados para o serviço militar [...] Não se pode negar que grande número desses homens é constituído de vagabundos, muitos não passando do rebotalho de suas pátrias, como a curta observação que tive o ensejo de fazer nesta ocasião demonstrou-me à saciedade". Um oficial mercenário, Edmund Bösche, confirmava: "Corja de vagabundos andrajosos e brutais, refugo da sociedade, ladrões e assassinos tirados das prisões de Mecklenburg, a ralé, a borra, a escória da Alemanha".

No Arsenal, em meio a embarcações que eram só ferrugem, pó e imundície, eles eram recepcionados pelo casal imperial. Oficiais estrangeiros embarcados em Hamburgo, como Carl Schlichthorst, logo percebiam que Pedro falava mal o francês e se vestia como um paisano: chapéu branco, calças brancas, um lenço colorido no pescoço e leve túnica cinzenta. Do inglês, conhecia bem os palavrões, aprendidos não com o bom professor Tilbury, mas com um lacaio. Quando surpreendia os operários desocupados, castigava-os com bengaladas. No interior do Arsenal, no início da Rua Direita, o ruído de martelo e o canto desafinado do Hino Imperial denunciava a presença de escravos presos por correntes às forjas. Ocupavam-se da construção de novas canhoneiras. Na parte baixa do edifício, estocava-se a munição de guerra, e na superior situavam-se os dormitórios dos operários e os paióis. Os funcionários que balbuciavam um pouco de francês ou inglês traziam no braço um emblema com a divisa "Independência ou Morte" e nos quepes, a cocarda verde e amarela.

Chovia quando Thomas chegou à baía de Guanabara. Nada à vista, senão uma cortina de água sobre as ondas pardacentas. Vez por outra, um pássaro inquieto cortava a paisagem. O oficial que veio a bordo, para o costumeiro exame de passaportes, quando soube que ele ali se encontrava, correu para a cabine e suplicou: queria beijar-lhe as mãos. Depois, com o chapéu na mão e encurvado em sinal de respeito, disse ao capitão que fizesse o que bem entendesse e ancorasse onde quisesse. Em seguida, saiu correndo, para ser o primeiro a levar a notícia de sua chegada ao imperador. Seguiu-se a visita deferente de comandantes e capitães: Garção, Taylor, Jewett – um americano –, Perez. Juntos, avaliaram as embarcações disponíveis e seu armamento. O problema eram os marinheiros portugueses: "os piores", segundo os oficiais. No mesmo dia, Pedro veio de São Cristóvão ao centro para encontrar Thomas.

Quando Thomas chegou à capital, o movimento de emancipação não atingira totalmente as províncias do Norte. Paraíba, Rio Grande do Norte, Ceará e Piauí estavam com o imperador. Mas na Bahia, no Maranhão e no Pará, a sociedade estava dividida. No interior, contra os portugueses. Nas capitais, porém, as juntas governativas continuavam obedecendo a Lisboa, e seus portos, abertos a reforços enviados por Portugal contra os brasileiros. Assegurar a independência era prioritário para impedir qualquer tentativa de D. João, apoiado pelas potências europeias reacionárias da Aliança Sagrada, de restaurar sua autoridade sobre o Brasil. Mais importante era fortalecer autoridade de D. Pedro contra elementos não só legalistas, mas republicanos e separatistas. E, também, mostrar unidade e ter acesso ao mercado financeiro internacional, com empréstimos necessários ao novo Estado.

Na baía de Todos os Santos, dominavam as tropas de Madeira de Melo, com poderosa força de soldados portugueses e dois mil marinheiros. Em suas águas, uma esquadra que incluía uma nau, duas fragatas, quatro corvetas e quatro canhoneiras. Pedro tentou desalojar Madeira, enviando tropas chefiadas pelo general francês Pedro Labatut, exímio militar e ex-combatente das Guerras Napoleônicas. Recém-contratado como mercenário, Labatut chefiou o chamado Exército Pacificador, uma força com quinze mil homens disciplinados e, acima de tudo, fiéis ao imperador. Junto, seguiu o almirante Joaquim Raimundo De Lamare, comandando embarcações abandonadas pelos portugueses no Rio. A expedição só conseguiu desembarcar Labatut e seus soldados em Alagoas. Os marinheiros portugueses se amotinaram, negaram-se a combater e regressaram para a capital. Com essa triste experiência, Pedro compreendeu que só uma Marinha profissional e bem comandada poderia dominar o Norte. Aproveitou-se, então, da massiva desmobilização dos exércitos europeus e começou a recrutar membros da força de maior destaque: marinheiros ingleses.

O primeiro-ministro da Marinha do Império, o oficial Luís da Cunha Moreira, marinheiro experiente que conquistara Caiena em 1808 e participara da revolta pernambucana de 1817 e da ocupação de Montevidéu, procurava pôr ordem na estrutura naval que encontrara às moscas. A esquadra era desproporcional ao tamanho da costa, e as despesas previstas para colocá-la em ordem, alarmantes. O esforço para o fortalecimento da Marinha de Guerra era geral, tanto que foi sugerida a Pedro a abertura de subscrição popular, mensal, a fim de, com o produto dela, adquirir navios para reforçar a esquadra. A subscrição popular arrecadava sete mil réis a cada mês. As pessoas que não podiam contribuir em moeda corrente ofereciam escravos como marinheiros, ou ofertavam carne-seca, barris de vinagre ou de vinho, ou, ainda, gado em pé.

Moreira se preocupava, principalmente, com o recrutamento de pessoal, pois não confiava nos portugueses que tinham permanecido no Brasil. Também não queria almirantes idosos e desejosos de estar mais em terra do que no mar. O império se via ameaçado pela insubordinação de algumas províncias. Era necessário pensar em uma estratégia ofensiva para garantir a coesão. Havia decisões urgentes a tomar.

O encarregado dos negócios da Marinha em Londres, marechal Caldeira Brandt, alarmado pelo envio de sucessivas expedições militares portuguesas à Bahia, empenhou-se pessoalmente em enviar homens e armas para o Brasil. Em maio de 1822, ele mesmo sugeriu convidar aquele que considerava o único preparado para comandar a armada brasileira: "O Chile tem declarada a sua independência. Não seria a propósito mandar alguém a título de [...] negociar com Cochrane para que viesse com os seus navios servir a Sua Alteza Real [...]? Só o seu nome levaria susto e terror aos nossos inimigos. Ouço que é muito amigo do dinheiro, que está em discórdia com San Martín, e tudo isso não concorrerá para aceitar o partido?".

A ideia foi recebida com entusiasmo. A primeira leva de marinheiros estrangeiros trazida ao Brasil era formada por um grupo de Liverpool constituído por cento e vinte e cinco praças e seis oficiais. Três dias depois, chegou um segundo grupo, composto por cento e setenta e uma praças que, posteriormente, foram distribuídas pelos navios, na guerra da Bahia. Nos meses seguintes, não paravam de chegar novos grupos, avolumando, assim, a guarnição nacional, com a qual a força naval enfrentaria as juntas governativas opostas à declaração de independência.

O problema era o pagamento de estrangeiros. Os ingleses, cerca de quinhentos e cinquenta, queriam o mesmo soldo que recebiam na Marinha Real, ou *Royal Navy*. O vice-cônsul brasileiro em Liverpool tinha ordens de lhes oferecer 2,12 libras. Acabou cedendo e oferecendo 5,10 libras. Ao chegar ao Brasil, os profissionais viram seu soldo minguar. O pagamento de Thomas também teve que ser debatido. Haviam lhe prometido as mesmas vantagens que recebia no Chile e, sem que tivesse ficado escrito, saldar uma dívida de 60.000 libras esterlinas que lhe deveria ter sido paga. Mas a primeira oferta ficou em 80 libras mensais, quando o soldo de um almirante inglês era de 233 libras.

No encontro com o jovem imperador, Thomas observou que seu poder era o de um simples governador, com capacidades muito limitadas de atuação. E reagiu com a habitual aspereza, dizendo que receberia aquele salário "se o Brasil fosse tão pobre, que só isso pudesse garantir". Ele rapidamente percebeu que o governo brasileiro se assemelhava a outros nas suas democráticas aspirações, mas, também, na relutância em pagar. Porém, a necessidade de seus serviços e a fama de seu nome eram tão grandes, que se chegou a um acordo. Ele obteve também um aumento no soldo dos marinheiros habilitados e conseguiu a imediata contratação de conterrâneos: Jewett, Eyre, John Taylor, Manson e Mynsson. Com ele, tinham vindo do Chile: Thomas Crosbie, Pascoe Grenfell, James Shepherd e Stephen Charles Clewley, todos admitidos na Marinha brasileira no dia 21 de março de 1823. O problema seguinte era a graduação de Thomas. Queriam-no sob o comando de dois almirantes portugueses, o que ele imediatamente recusou. Para ter autoridade absoluta, para agir sobre outros almirantes, criaram-lhe o posto de primeiro-almirante.

Quando Ernest Ebel o encontrou, suando em bicas sob o teto do Arsenal, Thomas esforçava-se para recuperar as unidades em melhores condições. Elas não tinham velame, armamento ou equipamentos apropriados, nem sequer um canhão de recarga rápida ou mastros e velas adaptados a um eficiente sistema de propulsão. Atarefado, ele grunhia monossílabos e ignorou o visitante que, como tantos mercenários, circulava por ali. Enquanto isso, Pedro chegava às 6 da manhã, apressava os armadores, intervinha nos navios de provisão, balançava-se nas cordas de convés em convés. Muitas vezes, trazia Leopoldina com ele.

Dentro ou fora do Arsenal, o ambiente era de fermentação, mas também de desorganização. Segundo Schlichthorst, contínuas mudanças nos ministérios perturbavam a rotina da máquina do Estado. Havia perigosa duplicidade em todas as resoluções do poder público. As Forças Armadas, mistura de mercenários e locais, não tinham coragem nem cavalheirismo. Nos teatros, oradores que elogiavam o imperador, eram pagos: dois tostões. Tranquilidade? Nenhuma. Sabia-se que o país estava rasgado por facções contrárias à independência. Espiões da polícia à cata de "demagogos" praticavam patifarias, sem castigo. O sistema de fortificações na capital apodrecia. As baterias eram tão elevadas que seus tiros apenas raspavam a água. As seteiras altas e estreitas não permitiam passarem as bocas de fogo. A ilha das Cobras mais se prestava a bombardear a cidade do que o inimigo. Distante uma hora do centro, a fortaleza da Praia Vermelha não tinha valor como posição militar. O forte São Sebastião estava em ruínas, e Nossa Senhora da Conceição também. Era difícil convencer oficiais estrangeiros da invencibilidade das fortalezas cariocas.

Numa cidade onde a maioria da população era de negros, os estrangeiros se impressionavam com a presença de mulatos em altas posições civis e militares. "A cor não exclui ninguém das mais altas dignidades do Império", afirmava Schlichthorst, que, assim, previa o fim do preconceito. Afinal, nas ruas só se viam "caras de todas as cores". A mestiçagem brasileira era assunto para os estrangeiros tentarem entender.

Eles estranhavam, também, o comportamento do chefe: o imperador, que todos saudavam quando passava pelas ruas, descobrindo-se – os portugueses ajoelham-se à antiga –, conservava sempre um semblante severo. Devolvia os cumprimentos apenas quando percebia que partiam de estrangeiros. Quando tomava banhos de mar em Botafogo, gostava de passear pela praia, nu em pelo, deixando que desconhecidos lhe beijassem as mãos, o que às vezes acontecia na presença de mulheres. Eduardo Theodor Boesche, contratado como cadete de cavalaria, com quartel na Praia Vermelha, assistiu a uma cena inesquecível:

Ao romper do dia, chegavam a cavalo D. Pedro e sua consorte, acompanhados de camaristas e generais. Não há talvez no mundo soldado tão entendido como o Imperador no manejo prático e no exercício da espingarda [...] De resto, seus modos são grosseiros, falta-lhe o sentimento das conveniências, pois o vi uma vez trepar ao muro da fortaleza para satisfazer uma necessidade natural e, nessa atitude altamente indecorosa, assistir ao desfile de um batalhão em continência. Tal espetáculo deixou atônitos a todos os soldados alemães, mas o imperial ator conservou inalterável a calma.

Ao mercenário mais rude, proveniente de reinos onde os limites entre a nobreza de sangue e a plebe eram intransponíveis, Pedro parecia bizarro. Percebiam, como Schlichthorst, que "sobre as ruínas de um regime derrubado", não se levantava "o templo da liberdade" num simples passe de mágica.

Estava certo o oficial hamburguês. Pois a guerra liderada pelo Rio de Janeiro contra Portugal não se apoiava em qualquer ideia de nação. E, menos ainda, numa união em torno de Pedro. Como bem disse um historiador, as peças do mosaico brasileiro não foram juntadas por nacionalismo prévio, incompatível com a multiplicidade de identidades que existia no reino. O Brasil daquele primeiro quarto do século XIX era um arquipélago de agrupamentos humanos com vínculos entre si e com Portugal, variando de acordo com as distâncias e as possibilidades de transporte. As grandes regiões tinham dinâmica própria. E se, para uns, o fato de a nova capital ser no Rio de Janeiro ensejava oportunidades, para outros alimentava desconfianças. Afinal, era no Nordeste que se encontravam a maior população e a mais forte economia, vampirizada, porém, pela capital.

Enquanto os mercenários estranhavam o Brasil, o jovem imperador estava ocupado em organizar as forças militares. Com razão: os portugueses tinham uma frota e duas mil milhas de costas amigáveis. Para a sorte de Pedro, a experiência naval de Thomas comprovava o quanto ele podia fazer, em situações adversas, com um par de navios. Durante o tempo em que outro inglês, o coronel Bacon, organizava o corpo de cavalaria do exército, Thomas foi recebido na casa do ministro José Bonifácio, então um senhor de 57 anos sem nenhuma experiência em cargos executivos.

Numa "cumprimenteira recepção", ouviu dele muitos elogios sobre sua reputação profissional. Além dos elogios, os problemas: falta de marinheiros, esquadra "quase pronta" para o mar etc. O ministro, além de se atribuir a ideia de tê-lo convidado para vir trabalhar no Brasil, logo mostrou seu estilo centralizador: "Eu deveria comunicar-lhe pessoalmente todas as matérias de importância". O ministro da Marinha só servia para "os negócios de segunda ordem". Sabedor da carreira meritória de Luís da Cunha Moreira, Thomas dirigiu-se à sua casa para conhecer detalhes de suas atribuições e nomeação. Nada conseguiu apurar. Dirigiu-se de volta, como foi orientado a fazer, a José Bonifácio:

> *Escrevi ao primeiro-ministro que todos os oficiais vindos comigo do Chile esperavam os mesmos postos, soldo e emolumentos que ali tinham gozado; que por mim, eu estava pronto a aceitar os termos oferecidos por Sua Majestade Imperial [...] a saber, a mesma posição, soldo e emolumentos que me tinham sido concedidos pelo governo do Chile; e que apesar de sentir-me com direito à remuneração de costume em todos os países bem regulados por serviços extraordinários, assim como pelos ordinários, todavia estava ansioso por saber em que pé se havia de constituir o serviço naval, do que a natureza das estipulações a mim concernentes.*

Pego em meio à tomada de decisões urgentes, Thomas queria avaliar o quanto antes a situação da frota e registrar a questão das presas, internacionalmente conhecida e abafada pelo governo brasileiro. Ele conhecia perfeitamente o decreto de 11 de dezembro de 1822, autorizando que "todas as presas tomadas na guerra ficassem sendo propriedade dos tomadores". Sabia que uma das medidas mais contundentes e mais representativas do estado de guerra entre o novo império e o reino de Portugal fora a emissão de regras para o corso – a autorização do Estado para atacar o tráfego marítimo do inimigo e suas instalações – contra os navios. Pedro invocava a necessidade e a justiça de repelir "por todos os modos, os ataques do Governo de Portugal, instigado pelo seu demagógico Congresso". E, por isso, autorizava os nacionais e estrangeiros a armarem corsários que, "durante a presente lide com aquele Reino, se empreguem igualmente contra as suas propriedades". Thomas, portanto, não tinha dúvidas quanto ao destino que daria às suas presas. Seriam suas e de seus marinheiros.

Foi Pedro quem o levou pessoalmente para conhecer o *Pedro I*, com setenta e quatro canhões, o *Maria da Glória*, um clíper pouco adequado aos serviços de guerra e o *Piranga*, fragata de vinte e quatro canhões. Thomas ficou bem impressionado com o capitão francês Beaurepaire, comandante do *Maria da Glória*, que tinha reunido à sua volta uma equipagem francesa que misturou aos marinheiros brasileiros, "para se livrar dos outros grupos desanimadores dentre os quais havia que escolher" – como explicou. Sabia-se que Labatut tivera que enfrentar "maquinações" e mesmo perigo de vida por conta de traições de marinheiros portugueses. Traições ensejadas até por motivos torpes, como a subtração de um dia da ração de cachaça!

A marinhagem era um problema: "A paga que recebiam era somente de oito mil réis por mês, enquanto no serviço mercante, dezoito mil réis era o preço corrente para bons marinheiros". Aqueles homens eram o refugo da Marinha mercante. E Thomas, que tanto se preocupava com a má remuneração de seu pessoal, ruminava: "A pior sorte de economia – a economia falsa – tinha se estabelecido na administração naval do Brasil". Thomas sabia que, também na Inglaterra, as condições a bordo eram duras, e em tempo de guerra os soldos eram mais baixos do que na Marinha mercante. Daí a importância do prêmio das presas. Sem elas, o resultado eram os motins e as greves de marujos, velas arriadas e comércio ou defesa debilitados.

Havia problemas com o soldo e também de comportamento. Pois os capitães se queixavam de que "os soldados da Marinha eram tão fidalgos que se julgavam degradados com fazer a limpeza de seus próprios beliches [...] tinham obtido moços para os servirem e só podiam ser castigados por seus próprios oficiais"!

O problema do soldo do primeiro-almirante também não se resolvia. Ele tinha sido convidado por Pedro com "promessas específicas". Agora, o ministro da Marinha e o ministro José Bonifácio se agastavam, dizendo que não era bem assim. Retroagiam na palavra dada, e chegaram a lhe oferecer "a metade da quantia estipulada". Já desconfiado das manobras palacianas, Thomas, que não era marinheiro de primeira viagem, sentiu o cheiro da má-fé e não teve dúvidas: devolveu a patente de almirante ao ministro da Marinha. Não admitia "ninharias".

"Houve equívocos" – desculpou-se o ministro, em resposta. E pediu, por favor, que Thomas hasteasse logo sua bandeira e ocupasse o *Pedro I* com seus homens. Nada feito: Thomas replicou que "era melhor para todos constituir nossos mútuos contratos em base firme". O bate-boca continuava. Voltou-se, então, como orientado, para José Bonifácio, a quem "achou agastado pelo que chamava 'a sem-razão' dos meus pedidos" – contou Thomas. E, com a habitual soberba, o ministro completou que a carta do cônsul em Buenos Aires só tinha chegado às mãos do inglês "em virtude de sua influência sobre o imperador".

Thomas respondeu que não tinha abandonado sua situação no Chile para trocá-la por outra menor no Brasil. Mais: que tinha consideração pelo governo e, portanto, pelo imperador e por seu próprio ministro, responsáveis pela oferta que lhe tinha sido feita. Que se José Bonifácio não quisesse preencher suas próprias obrigações, ele, Thomas, rejeitaria o comando oferecido. Bonifácio abaixou o tom. Mas, erroneamente, quis mostrar que seria sua a última palavra. Thomas contou:

"Perguntou-me se estava contente, ao que respondi com a afirmativa [...] e que lamentava que, em vez de rusgas, não se tivesse adotado essa conduta desde o princípio", quando havia tanto o que fazer. E Bonifácio: "Que como se tinha concedido tudo, não valia mais a pena falar nisso". E Thomas, batendo o martelo por último: "Nada tinha sido concedido, pois o governo tinha apenas cumprido o que estipulara". Só então foi a bordo do *Pedro I* e, às 4 da tarde do dia 21 de março, ao som do disparo de vinte e um tiros de cada navio de guerra, hasteou sua bandeira.

O clima de tensão estava em toda parte. No dia 29 de março de 1823, Pedro ordenou o bloqueio do porto de Salvador. A Bahia era uma pedra angular no edifício das pretensões portuguesas. Bastião colonialista mais próximo do Rio de Janeiro, era percebida como um dique à interferência de Pedro e ao alastramento da revolução para o norte do país. Dominando a Bahia, o partido português poderia usá-la como plataforma para a recuperação do resto do Brasil e, em último caso, até conservar províncias ao norte do Brasil, dando continuidade a um benéfico comércio útil. Mais: era dessa província que se pretendia despachar a força naval para bloquear o porto do Rio de Janeiro e imobilizar a esquadra que ali estava sendo organizada. Seu controle era visto como condição indispensável para as operações de resgate do Brasil.

Pressa... A pressa dominava. Enquanto se ajustavam detalhes, o jornal *A Malagueta* noticiava os riscos de D. João VI "dar o troco aos brasileiros" na forma de uma invasão, reclamando das tratativas "adormecidas" entre os ministérios e Thomas.

A cidade tinha ficado de cócoras frente à violência de Madeira. Ele a devastara com seus soldados predadores, de modo desumano. Nem igrejas e conventos tinham sido poupados. Lisboa aprovara tudo. No dia 30, Thomas recebeu suas ordens: neutralizar a esquadra portuguesa para permitir o ataque de Labatut por terra. Causar o máximo de danos. Ele teria toda a liberdade para agir como quisesse, desde que não deixasse de colaborar com o francês: ele no mar e Labatut em terra.

Por seu lado, a força naval portuguesa não era absolutamente desprezível e, mesmo na Europa, era considerada eficiente. Quando as instabilidades políticas do início do século XIX afetaram seu potencial, ela resistira. Tanto que sua captura foi um dos propósitos frustrados da invasão comandada pelo general de Napoleão, Jean-Andoche Junot. A força naval presente no Brasil, no início da década de 1820, ainda era importante e seria rapidamente colocada em uso pelos dois lados. A ela se somava um Batalhão da Brigada Real da Marinha.

Para enfrentá-la, a 24 de outubro de 1822 um decreto de Pedro reorganizou uma unidade, que passou a se denominar Batalhão de Artilharia da Marinha. Contava com 54 oficiais, 74 sargentos, 71 cabos e 3.759 soldados artilheiros, além de músicos para a banda da Marinha. Aproximadamente 1.000 homens operaram nos navios da esquadra, outros em fortalezas e outros estabelecimentos. O impulso maior para a formação de uma Marinha brasileira mais organizada e bem equipada foi dado com a compra de meios e de equipamentos no exterior, especialmente na Inglaterra e nos Estados Unidos, a chegada de Cochrane e o recrutamento de estrangeiros. Com a adesão de navios da Marinha portuguesa à brasileira e a construção de embarcações nos estaleiros brasileiros, Pedro logrou, em 1823, organizar uma Marinha forte.

Entretempos, no Rio de Janeiro, deputados de todas as tendências se atritavam, preparando trabalhos para a Assembleia Constituinte. O autoritarismo do ministro José Bonifácio envenenava as facções. Pedro ia abrir os trabalhos daí a alguns dias. A questão dos limites do poder do soberano era tema de acalorados debates, pois, por trás dela, escondia-se a questão que não calava: afinal, quem mandava? Os deputados ou o soberano? Ele teria o direito de propor e evitar leis?

Teria poder de armas ou estaria submetido aos deputados? Desde o começo, Pedro mostrou seu desagrado com as tentativas da Assembleia de limitar seu poder. Havia o risco de o modelo proposto pelos partidários da Federação levar à fragmentação do país. Os deputados temiam que a redução dos poderes do imperador levasse Pedro a dissolver a Constituinte. ∾

Maria e Leopoldina

Um março chuvoso. Enquanto Thomas fazia contatos com Pedro, as águas caíam com violência. Presa no brigue que a trouxera ao Rio, Maria só pôde desembarcar alguns dias depois para se instalar no "*bairro inglês*": o outeiro da Glória. Ali também o governo alojou Thomas, numa residência provisória até sua partida para o Norte.

Maria deixou o convés melancólica: "Fui bastante tola para me entristecer por ter de abandonar meus companheiros de viagem, e mais tola ainda por me incomodar com a completa indiferença com que me viram partir". E conformava-se: "Ambas as coisas são bastante naturais. Estou, de novo, sem ninguém a me arrimar e sozinha no mundo com minha carga de melancolia; eles têm diante de si os negócios e o prazer".

Ela estava viúva, pobre e órfã de homens do mar. Não eram mais os tempos em que, casada com um capitão e filha de outro, recebia todas as atenções. Não era mais a mulher empertigada e dona de si que desembarcara em Recife, na primeira visita ao Brasil. Tampouco a voz de Thomas, seu sotaque escocês que conhecia tão bem, continuaria a ressoar dentro dela. Ele se foi para longe. Roída pela insegurança, Maria se atormentava. Sobrava-lhe a insaciável curiosidade que, como ela sabia muito bem, poderia render-lhe um pouco de dinheiro. Os livros sobre viagens estavam sempre na moda, e ela já tinha escrito vários. Era conhecida entre editores, sobretudo o famoso John Murray, com quem trabalhara. Teria, pois, que fazer uso dos talentos que a natureza lhe dera.

O Rio ainda guardava vestígios dos festejos da independência de 1822, da aclamação de Pedro, em outubro, e da sua coroação como imperador em 1º de dezembro, quando os cortejos percorreram as ruas ornamentadas pelos artistas franceses Gradjean de Montigny, Jean Baptiste Debret e Auguste Taunay. Arcos triunfais foram montados no Campo de Santana, na Praça da Constituição, no Largo de São Francisco, na Rua do Ouvidor. As celebrações marcaram a criação oficial do império do Brasil, numa conjugação de seculares tradições portuguesas com novos rituais: o imperador copiou as botas de Napoleão e, por sugestão de Leopoldina, usou um manto de penas de papagaio no lugar de arminho.

Maria examinou alguns dos arcos provisórios ainda montados no centro da cidade e achou que estavam muito bem executados, desenhados com cuidado e bom gosto. Também notou os novos chafarizes, os aquedutos reparados e as ruas recém-calçadas. As obras públicas tinham melhorado visivelmente desde que vira o Rio pela última vez. Parecia haver por toda parte um ar de atividade e trabalho, segundo anotou.

Para escapar ao manto escuro da depressão, ela também se atarefava. Mudança, abastecimento, criado novo. De início, esteve cercada de atenções dos conterrâneos. Fazia e recebia visitas. Para além da boa impressão da chegada, a inglesa tinha pleno conhecimento dos sérios conflitos em curso no Brasil naqueles anos conturbados. Havia lutas armadas na província Cisplatina, na Bahia, em Pernambuco, no Ceará, Piauí, Maranhão e Pará. O país, se é que se podia chamá-lo assim, vivia um estado de antagonismos e agitação.

A repercussão da chegada de Cochrane provocou o imediato embargo de todos os navios ancorados no porto do Rio de Janeiro, para impedir a chegada de qualquer notícia a Salvador. O ato não surpreendeu os oficiais que vieram com ele, imediatamente colocados de prontidão, à espera das ordens militares a serem dadas pelo governo brasileiro.

Thomas estava longe, entre o Arsenal e os barcos, mas não distante do coração de Maria. Toda notícia sobre ele era cuidadosamente registrada. Dia 21 de março, ela recebeu um bilhete anunciando a data da partida do *Pedro I*. Depois, registrou a aflição do "amigo", pois Kitty e a filha estavam a caminho do Chile: "Sua natural ansiedade não pode ser dominada". Ela o consolava: teriam que parar no Rio. Seriam avisadas para não continuar a viagem. E Maria se consolava, por consolá-lo... Juntos, visitaram o *Pedro I*, onde Maria admirou as cabines magnificamente decoradas com bela madeira e almofadas de marroquim verde. Sim, o almirante estava bem instalado. Certamente, os olhos de Maria perguntavam o que os lábios calavam.

O mais aflitivo foram as notícias sobre uma poderosa frota vinda de Lisboa para o confronto. Pela importância do momento, o casal de imperantes esteve no Arsenal. Obedecendo à tradição, os marinheiros ingleses tinham se embriagado na primeira noite em que desceram à terra. Leopoldina reagiu com simpatia: "Oh! É o hábito do Norte, de onde vêm os bravos. Os marinheiros estão debaixo de minha proteção, cubro-os com meu manto".

Enquanto em terra tudo estava confuso, no mar já se sabia quem mandava. E, sob o som dos canhões, a cidade parou para se despedir dos marinheiros e oficiais que, no dia 2 de abril, sob o comando do almirante Thomas Cochrane, formavam a esquadra com a bandeira brasileira. No cais, o povo aclamava. Em fila, velas enfunadas desfilaram para fora da barra: a nau *Pedro I*, armada com setenta e quatro peças de canhão, sob o comando do capitão de fragata Thomas Sackvile Crosbie; a fragata *Piranga*, com cinquenta e dois canhões, sob o comando do capitão de mar e guerra G. David Jewett; as corvetas *Maria da Glória*, com trinta e dois canhões, comandada pelo capitão-tenente Theodore de Beaurepaire, e a *Liberal*, de vinte peças, comandada pelo capitão-tenente Antônio Salema Garção; o brigue *Guarani*, com dezesseis canhões, comandado pelo capitão-tenente Antônio Joaquim do Couto; e o brigue-escuna *Real*, de dez peças, comandado pelo primeiro-tenente Justino Xavier de Castro. Seguiam com Thomas cento e sessenta ingleses e americanos, cento e trinta negros alforriados e um grupo extraído da "vagabundagem" da cidade. Thomas rumava em direção ao Norte para unir um país independente, porém, em pedaços. Não era por acaso que ele, como tantos ingleses, só falava no plural: "*Brazils*".

Maria, que no dia da partida esperava encontrar Thomas para um almoço, teve "o grande desapontamento" de ver o navio levantar ferro e partir na manhã triste e escura. Uma lembrança definitiva de Thomas se fixou: "Quando a pequena esquadra passava diante de Santa Cruz, a fortaleza começou a salvar, o sol rompeu de detrás de uma nuvem e um jorro de luz amarela e brilhante desceu por trás dos navios. Parecia então que eles flutuavam na glória; e esta foi a última visão que tive de meu amável amigo". Uma visão pelas lentes da admiração e, por que não, do amor.

Da concha de sua casinha na Glória, Maria pouco saía. Estava acompanhada do primo Glennie, que viera à terra para recuperar-se, outra vez, de alguma doença. Como os demais membros da família, era da Real Armada. Glennie estivera com ela no Chile e, agora, embarcava de volta para Londres. A solidão batia à porta: "Depois de ter me acostumado com o convívio de um amigo inteligente, sinto-me tão isolada que penso ter de abandonar meus hábitos sedentários e fazer algumas visitas aos vizinhos". Os tais hábitos sedentários a faziam colecionar informações sobre as guerras: a da Cisplatina, a da França com a Inglaterra, a da Bahia. Mas obrigavam-na, também, a alguns compromissos sociais nos quais circulou entre "uma quantidade das mais belas mulheres" que viu no Brasil, muitas das quais falavam correntemente o francês e tomavam chá à inglesa.

Ouviu rumores sobre a falta de castidade das jovens solteiras, apoiada no que muito a chocou: a conivência dos escravos. Ouviu histórias sobre crimes e ciúmes. Normal: os cativos quererem a "corrupção das famílias". Alcovitavam amores proibidos. Famílias, aliás, tão unidas quanto as escocesas – comparou. Pena: os excessivos casamentos endogâmicos.

Na tentativa de se integrar socialmente, Maria passou a frequentar com assiduidade a belíssima casa da viscondessa de Rio Seco, no chamado Campo dos Ciganos. Mal sabia, ou fingiu não saber, da fama de corrupto do visconde, Joaquim José de Azevedo. Um dos organizadores da fuga da família Bragança para o Brasil, ele era também Comprador de Guarda-Roupas, Almoxarife e Conselheiro da Casa Real, tendo enriquecido à sua custa. Dizia-se "banqueiro do Rei". Em outubro de 1815, fez um empréstimo gratuito ao Erário no valor de 200:000$000 (duzentos mil réis), que corresponderam a cinco carros cheios de prata e onze negros carregados de ouro. Nas ruas, sobre Azevedo, ouviam-se os versinhos: "Quem furta pouco é ladrão, quem furta muito é barão, quem mais furta e esconde, passa de barão a visconde". Viúvo de uma irlandesa, Maria Carolina Millard, mãe da esposa de Luís do Rego, que Maria conheceu em Recife, Azevedo se casou novamente com Mariana da Cunha Pereira, filha do marquês de Inhampube. O casal representava a nata da alta sociedade carioca.

No palacete dos Rio Seco, Maria se informava sobre "todas as categorias de pessoas". Fofocas. À mesa, durante o jantar servido em baixela de prata, impossível Maria não ficar sabendo do triângulo amoroso mais comentado da cidade. Não ouvir sobre a amante do imperador vinda de São Paulo, "a Senhora Castro". Sobre os favores que o jovem imperador acordava à sua favorita e sobre o estoico comportamento de Leopoldina, abandonada pelo marido.

Não foi o único assunto a chocá-la. Abolicionista, horrorizou-se com uma visita ao Valongo, enorme mercado de escravos. Eles eram um terço da população da capital. Ali viu moças e rapazes esquálidos, cabeças raspadas e corpos macilentos. Ali, sentiu-se angustiada frente ao olhar desesperado de seres condenados ao inferno. Ali, teve vontade de chorar, mas preferiu sorrir às "pobres criaturas" e soprar-lhes um beijo. Indignada com "os males da escravidão", obstinou-se em realizar um quadro do número de entradas e saídas, no porto, dos navios negreiros. Afinal, o que fazia a tal comissão do tráfico que fechava os olhos ao comércio de gente? Não se sabe se Maria queria divulgar os números para o mundo...

No dia 3 de maio de 1823, foi levada à casa de outro maioral da sociedade, o conselheiro Luís José de Carvalho e Melo, um belo sobrado de onde viu passar o cortejo do imperador. Coches da nobreza, "decorados com 'penduricalhos selvagens, pinturas e dourados e esplêndidas librés" – cravou. Viu passarem soldados e oficiais. Depois, os membros da Casa Real, a jovem princesa Maria da Glória, o coche de gala puxado por oito cavalos, trazendo no assento da frente a coroa real e, no de trás, o casal de imperantes. Ele com a grande veste de penas amarelas sobre o manto verde. Ela, muito abatida. Um clima de euforia tinha se instalado. O povo atirava flores, e nos balcões, as senhoras se exibiam com as melhores joias e roupas.

A Assembleia Geral, Constituinte e Legislativa do Brasil inaugurava seus trabalhos. Excitação geral. O imperador deu conta dos fatos que levaram à independência e ratificou a promessa de elaborar uma constituição sábia, justa, adequada e executável, ditada pela razão e não pelo capricho. Assegurava também que os três poderes fossem divididos de modo a garantir a liberdade, tranquilidade e independência do império. Depois de aclamado triunfalmente pelas ruas, Pedro recebeu o juramento de vários deputados e pronunciou espontaneamente: "É hoje o dia maior que o Brasil tem tido; dia em que, pela primeira vez, começa a mostrar ao mundo que é império, e império livre".

Mas naquela mesma noite, no trono e coroado com diamantes, leu o discurso no qual figurava uma polêmica frase, ideia de José Bonifácio, seu ministro: "Aceitarei e defenderei a Constituição, se for digna do Brasil e de mim". E anunciou isso de uma plataforma onde estava sentado, um pouco superior àquela onde ficava o presidente da Assembleia, marcando uma divisão simbólica entre o poder imperial e o poder legislativo. Houve reações. Era o começo dos enfrentamentos que, como bem disse sua biógrafa, marcariam as relações do imperador com a Assembleia.

Por sua vez, a Assembleia reunia o que havia de melhor e mais representativo no Brasil. O barão de Mareschal, agente diplomático da Áustria, escrevendo ao chanceler austríaco Metternich, informava que ela era composta "de homens sábios". Homens que pertenciam às classes dominantes, na maioria liberais moderados. Não tinham partidos definidos, pois estes não existiam como tal. Eleitos através do voto censitário, que restringia o direito de votar a apenas um grupo de cidadãos, não representavam a massa de excluídos que formava o grosso do povo brasileiro, somente o arquipélago de interesses das elites, nas diferentes partes dos *Brazils*.

A abertura da Assembleia foi o ato principal para congregar, nesse primeiro momento, as diferentes visões, que já variavam entre a centralização e a descentralização do poder. Leopoldina escreveu rapidamente ao pai: "[...] o imperador dispõe do veto absoluto, cabe-lhe a escolha do conselho de ministros, sem que deva existir a mínima oposição ou intromissão". Mas foi, também, um exercício de conciliação política de Pedro. Seria difícil dizer se tratou-se de efetiva tentativa de congregação dos grupos brasileiros, ou apenas de uma mobilização tática, favorável à autonomia provincial, para arregimentar apoio à causa monarquista. E Mareschal arrematava: "Só a experiência poderia provar o que fariam nessa nova experiência: indivíduos eleitos em pontos tão afastados uns de outros, num país em que a civilização está muito atrasada".

A cerimônia do dia se encerrou com um espetáculo de teatro, e Maria foi convidada por Madame Rio Seco. Usando crepe preto e luto fechado, ela acompanhou sua "magnificente amiga" envolta em plumas e diamantes. Mais uma vez, observou que Leopoldina estava ausente e Pedro, aparentemente, muito cansado. "Foi recebido com aplausos delirantes", contou. Seguiram-se poemas em louvar à Assembleia e ao imperador, seguidos de uma peça intitulada *A descoberta do Brasil*, contando a chegada de Cabral às praias brasileiras e o contato com os índios. Em meio à representação, um cupido vindo dos céus desfraldou uma bandeira: "Independência ou Morte"! Uma explosão de sentimentos encheu a sala. Chorou Maria e chorou Pedro. Entre gritos de "Viva o Imperador", "Viva a Pátria", ouviu-se "Viva o povo leal e fiel do Rio de Janeiro". "E assim terminou um dia tão importante", anotou Maria no diário.

Mas não se iludia sobre o que via: "Nunca tive muita fé em novas constituições, feitas para se despirem como vestidos sempre que os homens se sentem cansados das antigas formas". Achava possível, contudo, que, longe do Direito português, se pudesse criar tribunais imparciais, impulsionar a indústria e o comércio, abolir a escravidão e manter a paz no império. Enfim, implementar um programa liberal à inglesa.

Passaram-se semanas. Maria esteve acamada, a melancolia sempre presente. Acreditava ter uma "grave moléstia". "É triste estar sozinha e doente numa terra estranha" – gemia baixinho. Chegavam notícias da Inglaterra: más. E de Valparaíso: ruins. Porém, nem uma linha do punho de seu amigo Thomas. Apenas o que traziam os jornais. Sua esquadra havia feito muitas presas, especialmente de armas e munições, que os portugueses tentavam contrabandear para a Bahia. Em Salvador, a imprensa pró-Portugal enxovalhava a todos: D. Pedro seria um déspota turco, o ministro Bonifácio, um vizir tirânico e Cochrane, um covarde! "Terão de pagar caro" pelo insulto, protestou Maria.

Se o retorno ao Brasil e o clima de tensão política abateu a viajante inglesa, aos poucos ela se viu na contingência de reagir. Como ela mesma anotou: "Estou sozinha, viúva em terra estranha, minha saúde está fraca e meus nervos, irritados; não tenho riqueza nem posição, sou forçada a receber favores dolorosos e chocantes [...] e topo muitas vezes com os que pretendem aproveitar-se de minha posição solitária". E a reação veio. Estoica, ela dizia ter mais horas de prazer do que muitos que se diziam felizes e agradecia a Deus por ter a mesma capacidade para a alegria quanto a que tinha para sofrer ofensas.

O choque contra um mundo pouco gentil assentou-lhe o juízo. E começou a traçar uma estratégia inteligente de sobrevivência: visita aos antigos amigos, que conhecera quando ainda casada e que poderiam ajudá-la, e foco numa aproximação com a família imperial. Maria, também, passou a visitar a casa do ministro José Bonifácio, de quem se aproximou. Sua esposa, de família irlandesa, falava inglês e Maria gostava do ambiente, onde, em meio à alegria de crianças, "conversavam sobre todos os assuntos e todos os países". Não gostou só do ambiente e da conversa, pois não era ingênua. Deixada de lado pela comunidade inglesa, sentiu que junto ao ministro poderia encontrar abrigo.

Portanto, dirigiu-se a ele com a intenção de pedir proteção à família real, e este a aconselhou a marcar uma audiência com Leopoldina. Na mensagem oficial que encaminhou ao ministro, evidenciou o que mais impressionava os brasileiros mestiços: sua ascendência "antiga e honrosa, ainda que não de origem nobre". E, nas entrelinhas, apresentou-se como uma mulher só. Só, mas muito, muito respeitável:

> *Ao chegar como estrangeira à capital do Brasil, reconheço que devo ter dado a impressão de falta de respeito devido a S.M. a Imperatriz, por não ter há mais tempo solicitado a honra de me ser permitido prestar-lhe as minhas homenagens [...] confio que serei perdoada por fornecer os seguintes dados acerca da minha pessoa. Meu marido era capitão de carreira da Armada Britânica, da classe mais antiga e, portanto, mais elevada quanto ao nível [...] meu pai, que era almirante na Inglaterra, reivindicava uma ascendência igualmente antiga e honrosa, ainda que não de origem nobre. Quanto a mim [...] tive a infelicidade de ficar viúva e sou hoje uma estrangeira no Brasil, onde espero passar alguns meses antes de voltar à Europa. É, pois, como estrangeira e viúva que queria colocar-me especialmente sob a proteção de Sua Augusta e Amável Imperatriz.*

Quase um mês depois, Leopoldina marcou um dia para recebê-la. A jovem imperatriz também era estrangeira e conhecia a solidão. Era casada, mas conhecia o abandono. No primeiro semestre de abril de 1823,

Leopoldina amargava um mau momento. À irmã Luísa, explicou: escrevia-lhe pouco porque, ela também, se encontrava "muito melancólica".

> *A Leopoldina animada de antigamente deu lugar a uma misantropa, que só gosta de ler, pois os livros são os únicos amigos que se tem por aqui [...] estive com reumatismo durante algumas semanas, o que me deixou muito deprimida". Ou todos estão enxergando tudo com óculos cor-de-rosa, eu, porém vejo tudo negro [...] me encontro sem amigo ou amiga em quem possa depositar confiança.*

O casamento ia de mal a pior, com Pedro exibindo-se publicamente com a amante, Madame Castro, cobrindo-a de presentes e atenções. Em Pedro, ela não encontrava apoio, pois tinham "mentalidade e educação muito diferentes". E concluía, dolorosa, "não tenho outro refúgio senão o cumprimento estrito de minhas obrigações, a solidão e o estudo". Vivia em "perfeita solidão" quando encontrou Maria, que foi a pessoa certa, na hora certa, no lugar certo.

No dia da entrevista, Maria estava tão doente que tomou "uma boa porção de ópio" para ir até São Cristóvão. E contou:

> *Aconteceu que* Lord *e* Lady *Amherst haviam parado no Rio, na viagem que fizeram à China nessa mesma ocasião, e não havendo protocolo, então, Sua Majestade marcou minha visita para o mesmo dia em que* Lady *Amherst lhe devia ser apresentada pela mulher do cônsul, em São Cristóvão, de forma que me vi sozinha com essas duas senhoras [...] Depois de ter acabado sua pequena conversa com* Lady *Amherst, sem esperar por minha aproximação nem mesmo que a camareira-mor me apresentasse como eu esperava, a Imperatriz avançou rapidamente para mim e, tomando-me pela mão, falou-me de maneira tão delicada e afetuosa; desejou que eu não deixasse logo o Brasil e contou-me que o Imperador desejava muito ver-me, que ele havia conversado com seu médico sobre o meu caso; que pensava que o meu me havia dado pouco óleo de rícino [...].*

O marido de *Lady* Amherst era um célebre diplomata e administrador colonial britânico. Receber sua esposa era parte do protocolo.

Ainda assim, Leopoldina e Maria conversaram por tanto tempo que a própria consulesa estranhou a atenção dedicada à sua conterrânea, em detrimento da ilustre visitante.

Leopoldina conhecia Maria "de nome". Sabia que Maria conhecia a Índia, a Grécia e a Itália, terras de arte e luz, escrevera livros e trabalhara na maior editora inglesa da época, a de John Murray. Maria foi acolhida com encantadora cordialidade. A simpatia que lhe inspirou a imperatriz, sua fineza e distinção a seduziram. Já a inteligência e a mistura de distinção com coragem de Maria conquistaram Leopoldina. Desde o primeiro momento, as duas mulheres se reconheceram como estrangeiras no mundo provinciano de portugueses e brasileiros. E essa aproximação se transformou numa amizade sólida, que as vicissitudes não esmoreceriam.

No encontro, Maria só ouviu música para seus ouvidos: "Falou comigo com a maior amabilidade, da maneira mais lisonjeira, que me conhecia de nome e diversas outras coisas que, ditas por pessoas de sua categoria, se tornam agradáveis pela voz e maneira de dizer". O chá com a imperatriz e *Lady* Amherst renderiam, mais à frente, alguns frutos a Maria.

Enquanto as senhoras tomavam chá, *Lord* Amherst mastigava um assunto mais espinhoso com o ministro José Bonifácio: se o império quisesse o reconhecimento da Inglaterra, teria que renunciar ao tráfico de escravos. O "senhor Andrada", como era chamado na correspondência diplomática, prometeu fazê-lo em três anos. Ambas as partes sabiam: não existia só a preocupação humanitária, mas o temor de que, com escravizados, o novo império se tornasse um produtor agrícola capaz de concorrer com os produtos das colônias britânicas. Ninguém queria jogar fora o comércio transatlântico, sobretudo porque o Brasil já existia, independente de Portugal, há tempos.

Por conta de sua saúde, Maria se mudou para uma casinha em Botafogo. O arrabalde, construído na praia, ficava a uma hora da cidade. No semicírculo da pequena enseada erguiam-se também a residência do barão Georg Henrich von Langsdorf, diplomata russo, a quinta do inglês George Marsh e a residência em estilo mourisco do negociante atacadista Antônio Moreira. As janelas da casinha se abriam para a praia. Maria dormia com o rugido do mar e a lua prateando as águas. As ondas e o repouso lhe tonificariam o corpo. Ao redor, a mata ia sendo comida pouco a pouco, para dar lugar a outras casinhas campestres, rodeadas de floridos jardins.

Nesse ínterim, a caminho do Chile, *Lady* Cochrane desembarcou no Rio. Foi recebida com honrarias pela família imperial, nomeada "dama" da imperatriz e acolhida com entusiasmo pelos britânicos. A filha do casal, Lizzy, era uma flor que desabrochava. "Verdadeiras notícias" do seu marido também chegaram. Apesar dos problemas com velas podres, falta de munição e marinheiros amotinados, Thomas continuava atacando os portugueses, fazendo presas e mantendo a esquadra imperial intacta. Kitty tentou encontrar Maria. Eram vizinhas, pois Kitty também se instalara em Botafogo, na Rua dos Pescadores, 79, quando colocou um anúncio no jornal. Embora tivesse duas criadas, buscava mais "duas escravas ou forras, uma para lavar, engomar e aprontar roupa e outra para o serviço da casa". Biógrafos levantam a hipótese de que Kitty teria sabido dos "passeios na praia" e viera resgatar o marido. Outros informam que ela estava voltando para o Chile, com mobiliário inglês para a casa de Quintero. A sugestão foi que ficasse no Rio, à espera do marido, sem correr o risco de nova travessia do Cabo Horn.

Maria fugia dela, alegando que sua saúde ia mal. Sentia-se, provavelmente, diminuída. Viu partir um navio inglês que poderia tê-la repatriado, e viu chegar, em junho, as festas de São João. Diferente das moças brasileiras e escocesas, não aproveitou a data para fazer "encantamentos" ou adivinhas sobre o amor. O remédio para seu mal era acompanhar as notícias da Bahia. A ousadia de Thomas nos ataques e o medo que inspirava aos inimigos a enchiam de orgulho.

Adoentada desde que viera de São Cristóvão, Maria bebia a solidão junto com o ressentimento. O imperador caiu do cavalo e quebrou as costelas? Problema dele. Ela estava "doente demais para me preocupar com quaisquer outras notícias. Estrangeira, só e muito doente, tenho bastante lazer para ver o valor do mundo para os ricos, ou que o pareçam, [...] e sentir que se eu dispusesse de todos os recursos, não poderia relevar a cabeça nem o coração dos que estão tristes. Creio que me tornei egoísta. Não consigo interessar-me pelas pequenas coisas da vida dos outros, como costumava fazer".

Há tempos não saía de casa nem para gozar os encantos da natureza. Os ingleses, reunidos num grupo discreto, frequentador da igreja aos domingos, amante das cartas, do chá e dos jantares ao ar livre, eram amáveis. Mas não com ela: "Contavam histórias absurdas a seu respeito". Sobre os "passeios na praia", talvez? Suas viagens, livros e cultura incomodavam. E Maria se consolava: "Não é grande afronta ser chamada mais sábia do que os outros". Ela não foi daquelas que passaram a existência sabendo onde estavam as meias dos maridos, cujas opiniões espontâneas eram proibidas e esperando de terceiros as decisões para sua vida. Nunca parou de se agitar, de navegar, de observar os costumes de indianos, italianos, chilenos ou brasileiros, ou de escrever. Intrépida, nunca recuara diante de obstáculos. Mas Maria entendia que andar fora dos caminhos conhecidos tinha um custo. Que as regras de comportamento para uma mulher sozinha estavam escritas em mármore com letras vermelhas. Marcadas em fogo, no coração. Ela pagava o seu preço.

Dia 2 de julho, a Bahia caiu. Da baía de Todos os Santos, Thomas viu a esquadra portuguesa soltar as velas da mezena e embicar rumo ao mar aberto. E a oito milhas ao norte da Bahia, escreveu a carta tão esperada por Maria:

> *Minha cara senhora. Tive pena em saber de sua doença, mas é preciso ficar boa, já que lhe comunico que expulsamos o inimigo para fora da Bahia. As fortalezas foram abandonadas esta manhã, e os navios de guerra, em número de treze, com cerca de trinta e dois barcos de transporte e navios mercantes, estão a caminho. Acompanhá-los-emos até o fim do mundo. Repito, espere novas notícias. Creia-me sempre seu amigo sincero e respeitoso, Cochrane.* ∾

Thomas e a Bahia

Quem conta o que aconteceu com Thomas enquanto Maria enlanguescia é o capelão frei Manoel da Paixão e Dores, indicado para exercer seu ministério no Pedro I. A nau de sessenta metros, que se armava com velas "redondas" – envergadas no sentido transversal – e três mastros de galera, tinha na ponte cento e vinte peças de canhão. O religioso não precisou de muito tempo para descobrir que o "bode" ou "missa seca", como eram chamados os ingleses, era uma pessoa excepcional. Vez por outra, Thomas aparecia para jantar e então se trocavam brindes e brincadeiras. Sobre a mesa, a garrafa e os copos de clarete promoviam a camaradagem na embarcação. O cheiro de tabaco recém-fumado se mesclava ao aroma do vinho. Ao fundo, o cristal da galeria deixava adivinhar o brilho de alguns faróis ou fogos: estrelas perdidas.

A serviço do imperador, Thomas conhecia o mar, mas certamente desconhecia a complexidade do que ia em terra. A centralização política, agora mantida no Rio de Janeiro, junto com o aumento de impostos sobre toda a região e mais a presença inglesa se apropriando de setores econômicos do Norte, tradicionalmente ligados ao comércio com Lisboa, mobilizavam a província da Bahia contra a capital. Os grandes agricultores desgostavam dos britânicos, que interferiam no rentável comércio de escravos, entre outros. Queixavam-se de que as ligações comerciais com Lisboa não haviam sido necessariamente compensadas pelo Rio de Janeiro depois da abertura dos portos, em 1808. E, findas as

Guerras Napoleônicas, mais do que depressa restabeleceram as lucrativas rotas entre o Norte-Nordeste e Portugal.

Thomas viria a compreender que a independência de Portugal não fora um processo tranquilo ou linear, aceito sem profundas resistências em todas as partes. Os *Brazils*, como diziam os ingleses, era composto por uma organização social variada em cada lugar, assim como habitado por um número variadíssimo de europeus, africanos, mestiços e índios de origens diversas. E eles teriam que se aproximar do império pela negociação, pela força ou pela combinação das duas. Uma parte dos *Brazils* não aderiu à independência. Teria que ser conquistada. E por e para isso, ele estava ali.

O carisma que irradiou em toda a sua trajetória como homem do mar contagiou os oficiais do *Pedro I*. Até dormir "como sardinhas sobre a almofada da praça de armas [...] temos encarado sem o menor desprazer" – registrava o capelão. O encontro do protestante com o católico foi pavimentado pela admiração e anotado num diário. A partir do quarto dia, estrangeiros e brasileiros não mais comiam em duas, mas em uma mesa. Era a forma civilizada de se conhecerem e "viverem em boa sociedade". Aí sentavam-se também o guarda-marinha Pierre Broutonelle e o voluntário Victor Sabrá, ambos franceses, o cirurgião Thomas Boos e o capitão de brigada Nathaniel Hoolette, irlandês. O oficial particular do capitão era o alemão John Bloem. Do lado brasileiro, o segundo comandante Antônio José de Carvalho, o capitão de artilharia José da Costa Carvalho e Matos, os segundos-tenentes Joaquim Pereira Leal e Joaquim Leão da Silva Machado, o escrivão Manuel Fernandes Pinto e o próprio capelão. O oficial imediato de John Taylor, o capitão de fragata Luís Barroso Pereira, também não hesitou em louvar a "penetração e agudo talento do Primeiro Almirante" nas estratégias traçadas. Nada enganava Thomas. Sua afabilidade impressionava. O respeito com que se dirigia aos marinheiros ou oficiais era o mesmo.

Latitude e longitude eram registradas no diário do capelão, assim como os horários de alçar velas ou o atraso de algumas embarcações em mau estado. Pela corveta *Liberal* e o brigue *Guarani*, por exemplo, tinham que esperar horas. A partir do dia 12 de abril, os sinais de alerta começaram a se multiplicar: exercícios de artilharia diários, mais coesão na navegação, deixando todas as naus à vista umas das outras, cuidados com a fixação de vergas e gáveas e reuniões até altas horas com Thomas. Ele não hesitava em caminhar sobre o cordame ou subir nos mastros.

A disciplina inglesa era para todos: dois marinheiros britânicos furtaram dinheiro de um português? Receberam cinquenta açoites nas costas com chicotes de farpas retorcidas nas pontas, causando, entre os marinheiros "o maior horror e espanto". Capitães brasileiros desobedeciam ao oficial inglês? Prisão, uma vez confirmados os fatos e os maus serviços.

Depois de dezoito dias de navegação em velocidade máxima, o capelão anotou: o *Lord* não buscaria o confronto. Ele só o levaria adiante caso suas proposições, ou melhor, as do imperador, não fossem atendidas. Pretendia resolver o conflito com "brandura e convenções", pois julgava que uma guerra na Bahia "seria prejudicialíssima para os irmãos europeus como para os brasileiros". E o capelão, entusiasmado: "Eis aqui o verdadeiro caráter de um homem de bem e de um bem experimentado cabo de guerra. Esses nobres sentimentos da alma que o *Lord* me faz a honra de comunicar, no momento em que acabava de me convidar para jantar com ele, são para mim tanto mais dignos de louvor quanto, para outra pessoa, impróprios do mais pequeno vitupério". Thomas era, sim, experiente o bastante para saber que sua frota era fraca e que os "irmãos europeus" eram os negociantes ingleses instalados e enriquecidos na Bahia há tempos, a quem tinha que proteger.

Seu plano era a reunião da frota na baía de Todos os Santos, pois havia sempre alguns navios atrasados, por conta de velhos cordames e velas inadequadas. A frota navegava em velocidades diferentes. Às 5 da manhã do dia 25, viram distintamente a barra de Salvador. As notícias chegavam: uma nau carregada com foguetes, bombas e morteiros, assim como os famosos brulotes – botes com explosivos que Thomas inventara e que eram o terror de seus inimigos –, estavam a caminho. Enquanto isso, os oficiais ingleses procuravam adestrar as tripulações em manobras de emergência e artilharia segundo padrões britânicos. Treinava-se a comunicação por sinais com velas. Segundo frei Manoel, Thomas era "incansável". As armas experimentadas causavam frustração: não funcionavam!

Nesse ínterim, as forças portuguesas eram acrescidas de mil e oitocentos homens trazidos em comboio da Europa, com ordens de bloquear a entrada do Rio de Janeiro. Fiada na própria superioridade, assim que souberam que Thomas estava se aproximando, a esquadra lusa foi para o mar.

Conta o frei Paixão e Dores: "Às 6 da manhã deste dia, deram parte os gajeiros que a nosso sotavento viam três navios grandes. Nesta ocasião, mandou o *Lord* tocar a postos, ficando ele em observação: não tardou muito tempo que se não fossem descobrindo mais alguns navios inimigos, vendo-se às 8 horas distintamente treze navios, à exceção de dois brigues, que todos navegavam em linha do Sul para o Norte, em demanda da Barra da Bahia. A nossa Esquadra navegava na mesma direção ao Barlavento, e a retaguarda do inimigo, para a qual a nau fez toda a força de vela com todos os navios da Esquadra, aos quais pouco antes teria feito sinais de inteligência para se postarem em linha, fazerem os movimentos da nau e aproximarem-se dela o mais possível para em boa ordem entrarem em ação, logo que a nau rompesse fogo".

Mais uma vez, seria uma batalha de Davi contra Golias. O rumor sobre um ataque surpresa correu como rastilho de pólvora sobre a coberta. Entre os marinheiros, circularam as mais selvagens apostas, relacionadas quase sempre com os recrutas: quem viveria, quem morreria. Tensos, eles esperavam começar o ensurdecedor estampido do fogo de artilharia. Impressionava, porém, a coesão com que até o último homem se integrava à cadeia de mando para que o conjunto de madeiras, cabos e velas se transformasse num instrumento vivo e perfeito.

Frei Paixão relatou: "Não posso deixar de notar o intrépido entusiasmo que a tripulação estava por ver a heroicidade do *Lord* de se querer bater com as superiores forças inimigas. O *Lord* e mais oficiais não estariam mais satisfeitos se fossem entrar no aparatoso baile do que estavam por ir entrar em ação, cuja presença do espírito parecia afiançar a mais vantajosa vitória. Os repetidos 'vivas' que todos davam à futura vitória sobremaneira convenceu ao Almirante da valorosa disposição em que todos se achavam para combater. Continuamos a navegar para o inimigo até às 11h30 na mesma direção, porém, nós com mais vantagens, por termos conservado a Barlavento a nossa marcha e vencido a grande distância de caminho em que estávamos, quando vimos o inimigo".

Qualquer manobra, contudo, dependia do vento. Pois quem tinha vento a favor também era favorecido na batalha, porque poderia colocar o navio onde quisesse.

Achava-me sob a tolda com o Lord, *que, ambicioso desejava que se aproximasse o momento de dar começo ao ataque, quando já à distância de meia légua do inimigo me disse desta maneira (em bom espanhol escocês): "Sr. Cura, metad de la Escuadra inimiga és nuestra, por que me voi cortar su línea". Gradualmente foi conduzindo a Nau no meio da linha, a qual continha um Brigue e cinco Fragatas, e logo adiante desta se seguia a Nau* D. João VI *com o resto da Esquadra, que seguia na sua proa. Nesta ocasião me perguntou o* Lord *onde era o meu posto, ao que lhe respondi ser no lugar mais arriscado da Nau, pois que eu, em combate, era soldado. Continuaram as duas Esquadras na posição descrita e, às 11 da manhã, se atacou uma e outra Esquadra.*

Os navios reinóis, um brigue, cinco fragatas e a nau *D. João VI* bordejavam a trinta milhas de Salvador. Quando avistaram os brasileiros, formaram uma simples coluna. Thomas tinha a seu favor o barlavento e tentou fazer como o almirante Nelson na batalha de Trafalgar: romper a coluna adversária navegando entre as fragatas inimigas, *Constituição*, com cinquenta canhões, e a *Princesa Real*, com vinte e dois. A ideia era, a seguir, envolver os quatro últimos navios da coluna – as corvetas *Príncipe, Dez de Fevereiro* e *Calipso*, que já recebiam o fogo do *Piranga* e do *Niteróy*, que vinham nas águas do *Pedro I*.

Ao passar por uma delas – contou frei Manoel – no silêncio que antecedeu a troca de chumbo, ouviu-se a voz do almirante: "*Português, riende já tu bandeiras*". Resposta: fogo de artilharia, granadas e metralha. Sem danos, cruzaram-se as naus. A *D. João VI* tentou atacar Thomas pela retaguarda, mas recebeu o fogo da *Niteróy, Maria da Glória* e *Piranga*. Porém, "*God'dam*"! A pouca velocidade das fragatas brasileiras impediu-as de acompanhar a nau capitânia, que cruzou isolada a linha inimiga. Pior. Thomas atirava contra as naus *Constituição* e *Princesa Real* quando teve a surpresa de faltar munição em seus canhões. Os marinheiros fiéis a Portugal – aliás, seu grande temor – haviam trancado os paióis, alegando que não atirariam nos patrícios. Grenfell os obrigou a voltar atrás, mas tiveram início os motins nos brigues *Liberal* e *Guarani*. A escuna *Real* quase se entregou ao inimigo. Um desastre. Thomas pagava o preço pela precariedade dos navios e pela traição das guarnições – registrou um historiador da Marinha.

Contudo, "juntos obrigaram o inimigo a deixar sua empresa e a seguir caminho de seu porto, concluindo-se toda esta ação em menos de três quartos de hora" – contou o capelão. Com a bandeira do império hasteada nos mastros, mas pouco favorecido pelo vento, Thomas ainda os perseguiu. Conseguiu avariar seriamente a escuna portuguesa *Princesa Real*, fazendo com que o comando luso se retirasse para Salvador. Soube-se, depois, que a fome que havia na esquadra europeia era tanta, que fazia sucumbir os homens antes mesmo de tomarem um tiro.

Não se sabe qual o estado de espírito dos oficiais ingleses. Mas a carta de Thomas para Pedro foi escrita no mesmo dia. Ele não poupou o imperador. Avisou: não era uma carta para os olhos do público, mas para informar o governo. Não foram somente os ventos desfavoráveis que haviam prejudicado a operação, mas o "navegar extremamente ronceiro da *Piranga* e do *Liberal*. Nem estes navios, nem o *Niteróy*, que navega igualmente mal, são adaptados para os efeitos que se procura obter". O *Real* era de completa inutilidade e fora preparado para queimar com os brulotes. O *Pedro I* era o único "que pode atacar um navio de guerra inimigo ou operar diante de uma força superior", mas "esta mesma nau é tão mal equipada que se torna muito menos eficiente do que poderia ser". A situação vergonhosa da munição era outro item:

> *Os cartuchos que temos são incapazes de servir, e fui obrigado a cortar quantas bandeiras e pendões se pudessem dispensar, para pôr os mesmos cartuchos em condições de poder-se usar deles, de sorte se evitasse perderem os braços aos artilheiros que carregassem as peças [...] as peças não têm fechos – que deviam ter para serem eficientes. As velas desta nau estão podres [...] rasgando-se com a mais leve brisa de vento. O reparo do morteiro que recebi a bordo desta nau escangalhou-se ao primeiro tiro – estando todo podre; as espoletas para as bombas são feitas de tão miserável composição que não pegam fogo com a descarga do morteiro; e portanto, incapazes de usar-se a bordo de um navio, onde é extremamente perigoso acender a espoleta de outra maneira que pela explosão de um tiro; a mesma pólvora suprida é tão má que seis arreteis não atiram as nossas bombas além de mil varas, em vez do dobro desta distância.*

Pior foi o desempenho da tripulação.

Os soldados da Marinha nem sabem o exercício de peça, nem de armas curtas, nem de espada, e, todavia, têm de si tão alta opinião que nem ajudam a lavar o convés, nem mesmo a limpeza de seus próprios beliches, mas estão sentados a olhar enquanto estes serviços são feitos pelos marinheiros; desta sorte, sendo inúteis como soldados da Marinha, são uma carga aos marinheiros que deviam estar aprendendo seu ofício no alto dos mastros, em vez de ser convertidos em varredores e limpadores de lixo. [...] Eu acautelei o ministro da Marinha, de que todo português natural posto a bordo da esquadra – à exceção dos oficiais de caráter conhecido – se acharia prejudicial à expedição, e ontem tivemos prova clara do fato. Os portugueses estacionados no paiol negaram efetivamente a pólvora, estando a nau no meio do inimigo, e, soube depois, o fizeram por sentimento de afeto para com seus compatriotas. Incluo a Vossa Majestade duas cartas que acabo de receber do comandante do Real, *cuja equipagem esteve a ponto de levar aquele navio ao meio da esquadra do inimigo a fim de lho entregar! [...] Para declarar a V. Exa. a verdade, parece-me que metade da esquadra precisa estar de guarda à outra metade! É grande mal que esta nau tenha cento e vinte homens menos que seu complemento e trezentos menos do que eu consideraria ser uma tripulação efetiva [...] se estivesse tripulada e equipada como devia ser, não tenho dúvida alguma que sozinha haveria desmantelado metade dos navios inimigos [...] Estou aborrecidíssimo com o resultado – que foi tal qual se podia esperar da má tripulação da esquadra.*

Thomas encerrava a carta sublinhando que não lhe foram dadas as condições corretas de trabalho, embora reconhecesse as dificuldades de um novo governo. Queria ficar apenas com o Pedro I e a tripulação que escolhesse, e, acompanhado do *Maria da Glória*, iria até Salvador reconhecer a situação do inimigo. Deixou os navios ronceiros no morro de São Paulo e, depois, o *Maria da Glória* fechando a entrada da baía e evitando o envio de abastecimento a Salvador. O *Guarani* foi encarregado de varrer a costa em busca de informações sobre o inimigo, e o *Carolina* puxava o comboio de navios já apresados.

Entre os dias 5 e 8 de maio, singraram costa acima. Fundearam às 7 da manhã, na angra do morro de São Paulo. Dali, com bom tempo, Thomas avistava a entrada da baía de Todos os Santos onde se abrigava a esquadra inimiga. De uma fortificação próxima, vieram prestar-lhe homenagens o comandante e os oficiais, entusiasmados em conhecer a esquadra que defendia a causa do Brasil. No dia 10, foi à terra junto com o capelão. As areias faiscantes, o verde infinito, o mar azul orlado de renda e espuma, a violência do sol: era a terra dos povos escuros. Viu rostos marrons, pretos, cor de bronze, de olhos negros.

Visitaram "a pequena povoação e as fortalezas, e tudo apresentava a maior miséria e pobreza possível". Sua guarnição, composta por sessenta brancos, pretos e pardos, parcamente vestidos e sem sapatos, pediu ao almirante um pouco de munição, pois nada tinham. Foram atendidos. Thomas providenciou para que a belíssima água da nascente abastecesse as embarcações. E, finalmente, sua arma preferida, os explosivos brulotes, chegaram. Em outras batalhas, o próprio Thomas se encarregava de conduzi-los até perto das naus inimigas, revelando sua letalidade no último minuto.

A partir de 13 de maio, a esquadra de Cochrane começou a capturar navios. Seis na primeira semana, inclusive um navio negreiro e uma escuna levando arroz e farinha para a guarnição portuguesa, capturados no dia 19. Enquanto isso, o governo imperial reforçou esse quadro com homens e navios, inclusive o *Colonel Allan*, que trouxera Thomas do Chile, agora rebatizado de *Bahia*. Os portugueses entraram em desespero quando ele e sua esquadra começaram a aprisionar os navios, que levavam suprimentos essenciais para a cidade da Bahia.

A confiança dos homens em Thomas era crescente, e vários episódios descritos por frei Manoel dão conta do ambiente nas embarcações. Num domingo, pela manhã, depois da missa, todos os navios da esquadra inimiga acercaram-se do morro de São Paulo. Foi dado imediatamente o sinal de "todos a bordo". Deu-se um tiro de canhão. No *Pedro I* e demais embarcações, tudo pronto para entrar em combate.

Tensão no máximo. A tripulação "aguerrida para se bater" aguardava as ordens de seus oficiais. Passavam as horas: duas, três, quatro. Foi quando o inimigo, depois de ter disparado alguns tiros, manobrou em direção oposta. Thomas, que estava reunido com os oficiais ingleses em outra nau, chegou debaixo de um aguaceiro e ficou satisfeito com o estado de prontidão da tripulação. E a frei Manoel, dirigiu-se com o humor habitual: *"Mi Padre, nuestros inimigos queriam hablar com nosotros, pero ya volvieram a sus mares"*. O religioso, que passara por maus momentos de tensão, respondeu: "Sim, senhor. Já voltaram para o mar pela ignorância que tinham de Vossa Excelência estar fora da nau, a jantar com seus amigos [...]". E Thomas, confiante: *"Mui bien. Em mui pocos dias, mi amigo cura, me aiudará deitar-las em sus braços nuestros grillones imperiales"*.

"E dizendo isso" – prosseguiu frei Manoel –, "sorriu e retirou-se para jantar com os demais oficiais". Desde cedo sem nada no estômago, todos, o padre também, se encontraram no convés, entre as armas, "a devorar nosso jantar, que, mesmo estendidos pelo chão e por entre os petrechos de guerra, lhe achamos muito melhor sabor que em outro qualquer dia".

No dia 14, depois de cruzar a baía e examinar a frota inimiga, Thomas baixou a ordem: a melhor marinhagem saída do *Piranga* e do *Niteróy* iria a bordo do *Pedro I*. Seus comandantes e alguns oficiais comandariam as baterias. A nau teria então cerca de oitocentas e tantas praças. Enquanto os homens eram selecionados, ecos do que se dizia em Salvador chegavam a bordo: o coronel Madeira de Melo queria se retirar. Corria que já abastecia sua frota a fim de partir para Lisboa.

Enquanto a *Gazeta da Bahia* publicava ataques a Thomas, do tipo "homem atrevido que arruinou o comércio do Pacífico e só pensa em recuperar a glória perdida [...] perdeu tudo e foi obrigado a abandonar os espanhóis no Peru", e ameaças como "A nossa esquadra é superior em força física, tendo à testa almirantes bravos, com abundância de tropas", D. Pedro era chamado de "usurpador do Rio" e "monstro criança"! E Thomas ironizava: "Estou descomposto em boa companhia". A essa altura, ele já tinha aprisionado treze mercantes de abastecimento, enquanto a cidade rangia os dentes de fome.

Thomas tinha estabelecido o que chamava de "correspondência secreta com patriotas brasileiros", além de receber informações de ingleses que abandonavam a capital. Além da falta de alimentos, ficou sabendo da "consternação" de Madeira ao saber que os brulotes estavam prontos para o ataque. Eram lendários os feitos de Thomas nos portos do Mediterrâneo e em Callao, no Peru, quando frotas inteiras desapareceram aos pedaços. Enquanto a tensão aumentava, na saída da baía de Todos os Santos seus oficiais capturavam mais e mais presas: barcos lotados de farinha ou de escravos. De dinheiro ou de cachaça.

Naquela noite, Thomas jantou com o capelão e confirmou: "*Mi padre capellan, usted se ai admirado que io me volvo a salir del puerto solamente com la nau* Maria da Glória *e brigue a encontrar-me com el inimigo, dejando aquí todavia el resto de la Esquadra fondeada y escondida dientro del canal que esta angra tan hermosa nos oferece. Ahora, pues, me voi marchar a descobrir el inimigo, seya en la mar, ó fundeado en su puerto; encontrando-lo, atenderé um poco, si per la noche, acercando-me a sus navios, me será possible facerle um vivo fuego, empresando a abterlos de um em um, metidendo-me per entre ellos hasta el último; y poniendo-los a todos em esta confusión, los dejaré batiendo-se unos a los otros, mirando todo su ruina, yá mui seguro dieste inimigo*".

Era 12 de junho e chovia. Na noite muda, inquietos pássaros quase deslizavam sobre as águas. Thomas observava os barcos inimigos envoltos em farrapos de brumas, em meio à escuridão, e teve uma daquelas ideias audaciosas que o fizeram famoso. Ele sabia que a frota portuguesa estava fundeada de maneira confusa entre outras naus e que os oficiais se divertiam em terra. Sua intenção era atacar. Dirigindo-se à tripulação de "amigos e camaradas meus", pediu-lhes apenas que guardassem silêncio, pois de seu valor ele já estava ciente. Sob suas ordens e com pouco vento, o *Pedro I*, a *Carolina* e o *Maria da Glória* deslizaram para a barra. Ao passar pela fortaleza da Gamboa, veio a pergunta: "Que fragata é essa?". Resposta de Thomas, em inglês: "Esta fragata é inglesa e vem da Inglaterra com estas duas corvetas". Resposta da fortaleza: "Muito bem, pode entrar, pode entrar". E Thomas, mais uma vez, à fortaleza: "Já mandei o escaler à terra", ou seja, os documentos de identificação do navio.

Nesse ínterim, a gente da nau *D. João VI* agitou-se. Luzes se acenderam nas escotilhas enquanto, em meio ao silêncio, portugueses tentavam adivinhar o que estava acontecendo. "Ó, da fragata?! Ó, da fragata?!" Enquanto isso, o *Pedro I* deslizava, no mais absoluto silêncio, entre as embarcações. Suas lanternas, cobertas com mangas de lona, deixavam adivinhar apenas a forma da embarcação. Tão sutil quanto a barbatana de um tubarão, passou entre as naus, ouvindo o inimigo murmurar: "É... não é; é... não é a nau *Pedro I*; não é a nau *Pedro I*; é, sim...". A bordo, lábios costurados, a tripulação aguardava as ordens de Thomas para romper fogo de metralha. Escuridão absoluta, e o inimigo totalmente desprevenido. Nova pancada de chuva caiu, mas nenhum vento soprou para permitir manobras arriscadas. Thomas rodou, observou, anotou a posição das naus de guerra e, com a maré vazante, deixou para trás o que chamou de "cardume de embarcações". A frustração foi grande, contou frei Manoel. Todos queriam fogo e sangue. "Porém, estes desgostos foram sanados pelas boas esperanças que tínhamos de cedo nos encontrarmos com o inimigo", jactava-se o religioso que virou soldado.

O efeito de sua visita fantasmagórica, em meio à neblina, à chuva miúda e ao silêncio, foi mais bombástico do que a ação dos brulotes que Thomas não precisou usar. Ele mesmo contou em carta ao ministro José Bonifácio:

> *A consternação causada por minha visita noturna, que decidiu a evacuação da cidade, era descrita como quase divertida. Segundo fui informado, o almirante português, com os seus oficiais, estava num baile, e a notícia da aparição no meio da esquadra lhe foi trazida ao meio da festa – "O quê?"– exclamou ele – "A nau de linha no meio de nossa esquadra! É impossível. Nenhum grosso navio podia ter vindo rio acima às escuras". [...] No dia 1º de julho, trouxeram-me a notícia de que, sabendo-se estarem os brulotes prontos para o ataque, o almirante português tinha embarcado a toda pressa todas as tropas nos transportes, e que uma quantidade de navios mercantes estava cheia de pessoas que desejavam sair da Bahia sob sua proteção.*

As ciladas de Thomas se caracterizavam por uma boa dose de *humour*, pois em não poucas vezes ele aparentava um grave erro de manobra ou um estado de fraqueza de suas forças, a fim de induzir o inimigo a cair na armadilha. Os dias subsequentes foram de mau tempo e sem novidade.

A 20 de junho, um acontecimento inesquecível a todos que navegavam com o almirante. Às 11 da manhã, enquanto todos os oficiais se achavam escrevendo seus relatórios ou lendo seus livros, um rumor virou grito de pânico. Fogo a bordo! Alguém disparou a tocar o sino. Uma pipa de aguardente próxima ao paiol de pólvora estava em chamas. Homens recuavam tossindo. O calor subia do porão. Imediatamente, Thomas e o comandante Carvalho desceram com cobertores para abafar as chamas. Não fossem eles, o *Pedro I* teria ido pelos ares. "Três quartos de hora depois desse desastre em que lutamos com a morte, é que viemos recobrar a tranquilidade" – narrou frei Manoel. A combinação dos cheiros de breu, cana e o fedor das latrinas impregnava o ar.

No mar, passado o susto, Thomas acompanhava as informações sobre o que acontecia em terra. Para a retomada das ofensivas sobre Salvador, as forças terrestres também tinham sido organizadas. O coronel José Joaquim de Lima e Silva tinha criado um Estado Maior, duas Divisões e quatro Brigadas, além de duas Brigadas de artilharia e cavalaria. Os batalhões, inseridos nas Brigadas, foram reorganizados em nove unidades, incluindo uma de "crioulos", formada em Nazaré, e uma de negros livres. Por essa época, os números do chamado Exército Pacificador haviam se alterado, somando 10.139 homens, mais as unidades marítimas. A 3 de junho de 1823, com mais de 900 soldados, a 2ª Divisão atacou por Brotas e São Pedro. As tropas brasileiras chegaram a avistar Salvador e estiveram muito próximas de romper a linha. Na manobra, também foram realizadas a ocupação de pontos na Pituba e no Alto da Areia, avançando-se a linha brasileira. Os portugueses tentaram um contra-ataque, com algo em torno de mil soldados, na povoação do Rio Vermelho. Em vão. Houve muitos feridos e mortos.

Nos dias seguintes, ainda haveria registro de pequenas escaramuças nas linhas do cerco, como ocorrera em 10 de maio, quando uma sentinela brasileira foi alvejada, precipitando um avanço de todo o batalhão. Rompendo a "trincheira com armas brancas em punho, esvaziou-a de portugueses, matando a ferro dezesseis, inclusive o chefe da posição" – conta um documento. Foi preciso que os oficiais tomassem providências para que se limitassem esses avanços sem comando. O cerco, enfim, não havia sido rompido, mas servira para desgastar até o limite as forças de Madeira.

Depois da tentativa de ataque noturno, Thomas cortou definitivamente a entrada de suprimentos no porto, assegurando o bloqueio da baía de Todos os Santos. No dia 2 de julho, o Exército brasileiro entrou na cidade pela Estrada das Boiadas, atual Liberdade, passou pela Lapinha e Soledade, alcançou o Terreiro de Jesus e a praça da Câmara Municipal. Outra parte do Exército Pacificador veio de Brotas, e uma terceira, da Graça e Vitória. Acuadas por terra e mar, as tropas portuguesas foram obrigadas a zarpar rumo a Lisboa.

Lentamente, o comboio português de oitenta e três unidades, dezessete navios de guerra e setenta de transporte começava a sair da barra. Mas para Thomas a tarefa estava longe de terminada. Ele esperava o inimigo com o *Pedro I*, o *Maria da Glória* e o *Real Pedro*. Passaram imediatamente à perseguição. A primeira unidade portuguesa capturada transportava cento e setenta soldados. O *Real Carolina*, mais a barlavento, apreendeu duas naus. Thomas, manobrando o *Pedro I*, interpunha-se entre os navios-escolta, impedindo-os de dar a proteção que deviam. O barco avançava, exibindo nas laterais as baterias, com as portas abertas e a fileira de canhões formando linhas escuras e ameaçadoras. Repartidos de ambos os lados do convés, os grupos de artilheiros se apressavam e, empunhando os pesados piques de pesadas peças de artilharia, arrastavam-nas até as portas ainda fechadas.

O *Maria da Glória* apreendeu mais três embarcações, uma delas transportando tropas. O *Pedro I* capturou dois transportadores: o *Meteor*, com duzentos e vinte e três hussardos da cavalaria, e o *Grão-Pará*, com mais duzentos. Neste último navio foram encontrados documentos reveladores de que Portugal queria reforçar a reação no Maranhão. Mais seis embarcações foram aprisionadas, e o capitão de fragata Theodore Beaurepaire reuniu todas as presas feitas até então e as escoltou para o Rio de Janeiro.

Thomas continuou com os ataques de surpresa, largando, no caminho do comboio, barris cheios de lenha e alcatrão que explodiam junto do inimigo, causando grande confusão. Balas certeiras no alvo criavam chuvas de fragmentos, cobrindo a superfície da água com espuma. Todas as armas eram carregadas com antecedência. – Apontar! Fogo! – Os homens cambaleavam e caíam como canas dilaceradas por foices. Aos barcos abordados, cortavam-se os cabos, rasgavam-se as velas e abatia-se o mastro grande antes de deixá-los à deriva. Mantimentos, apenas para voltar às costas brasileiras, onde seriam presos. A ordem do almirante era "caçar os navios". Uma vez abordados, ouviam: "Arreia tua bandeira! Esta nau é o *Pedro I*, ela te mete a pique se não te arreias já no mesmo instante". Eram imediatamente atendidos. Segundo um historiador, mais de dezesseis navios, inclusive um negreiro, foram capturados com mais de dois mil soldados, o que afastava o perigo de um desembarque em larga escala.

Ao longo dos dias de perseguição à frota portuguesa, frei Manoel acompanhou cada passo de Thomas – subindo nas gáveas, preparando barris de pólvora, fazendo mais presas. Mas, também, frustrando-se com velas rasgadas, desmandos de marinheiros na hora dos ataques ou operações abortadas por falta de vento ou excesso de chuvas. Thomas queria sempre mais e mais. Quando frustrado, recolhia-se à cabine.

No dia 22 de julho, assistiram, sem temor, a um eclipse da lua. Na manhã seguinte, avistaram a "terra do Ceará". Ao atingir a latitude 5º ao norte, o almirante transferiu a tarefa de perseguir os navios portugueses à fragata *Niteróy*, de John Taylor. Este, por sua vez, capturaria mais vinte e quatro transportes, tendo-os perseguido até a foz do Tejo, em Portugal. Informado, porém, sobre a situação das províncias de Maranhão e Pará, sob o domínio das Juntas Governativas portuguesas, Thomas sabia o que fazer: rumou para São Luís.

A guerra contra as tropas portuguesas, que durou de 1822 a 1823, dominou os anos da independência na Bahia. E foi uma luta marcada pelo patriotismo popular e a intensa atividade de homens de cor. Enquanto a elite baiana aparentemente permanecia leal a Portugal, os chamados "patriotas" incluíam soldados, milicianos negros e pardos, armados e descalços. Incluiu até rudes vaqueiros sertanejos, vestidos dos pés à cabeça de couro de veado-capoeiro, lanças em punho e montados em cavalinhos de campear gado na caatinga. Ou seja, os representantes das camadas mais baixas. O idoso capitão negro, mais tarde coronel Joaquim de Santana Neves, chegou a quebrar o braço de um oficial português. Os grandes comerciantes e fazendeiros, que ironicamente se autodenominavam "*Lords*", tinham se retirado para o interior, ao abrigo da fome e da violência que grassava. Enquanto isso, em Itaparica, até as mulheres se juntaram aos seus homens para repelir a tentativa dos portugueses de se apoderarem da ilha. E mesmo índios nativos manifestaram "coragem desesperada e ódio aos portugueses".

Naquele fim de maio e início de junho, a situação de Salvador já estava perdida, como reconheciam os militares portugueses. Pior. Não havia um único saco de farinha de mandioca em toda a cidade. Thomas tinha acelerado os impasses de uma longa história. E na manhá de 2 de julho, negros, pardos e brancos, os "brasileiros", entraram triunfantes na capital. Se no mar venceu um escocês, em terra, foram eles a derrotar a "canalha lusitana". ❧

Maria, Pedro e Leopoldina

Enquanto Thomas seguia para o norte, no dia 18 de julho a cidade acordou com a notícia: caiu o ministério de José Bonifácio. "Tempos tempestuosos" – anotou Maria. A simpatia que tinha pelo ministro a fez interpretar sua demissão como um golpe dos republicanos contra "o hábil ministro e servidor zeloso". Ela não enxergava, ou não queria fazê-lo, as arbitrariedades que Andrada cometia: prisões sem o consentimento do imperador, surras nos oponentes, perseguição à imprensa. Bonifácio perdera as simpatias que tinha na Assembleia Constituinte e possuía uma inacreditável capacidade de colecionar inimigos. No empurrão para fora do poder, contou com as mãos da favorita de Pedro, Domitila de Castro, a futura marquesa de Santos. Contava-se que ele a acusara de receber propinas em troca de informações. Apaixonado, o imperador não desculpou a insolência. Uma carta anônima com acusações selou o destino do ministro. Maria perdia um importante aliado na corte.

No clima tenso, a Assembleia Constituinte foi dissolvida, antes mesmo de concluir os debates sobre o projeto de Constituição que estava em vias de elaborar. Uma onda de xenofobia antilusitana varreu a cidade. Opositores do imperador, sobretudo os críticos dos privilégios portugueses, foram deportados. No dia seguinte, foi formado um Conselho de Estado com áulicos e cortesãos de Pedro dispostos a aceitar a centralização do poder em suas mãos. O imperador já não escondia seu temperamento autoritário, embora afirmasse que a nova Constituição seria duplamente mais liberal do que sua antecessora.

Em carta a Viena, o barão de Mareschal descrevia Pedro: "É homem de ação, ativo e zeloso; mas infelizmente não observa sistema algum, nem tem plano fixo de governo; seus ministros são meros executores, absolutamente passivos, da sua vontade, e não têm independência para ousar dizer-lhe a verdade. Ele os conhece e não lhes dá importância; trata-os com muito atrevimento. Nenhum goza de sua completa confiança".

Não se sabe se Maria viu Pedro percorrer as ruas a cavalo, levando no chapéu as folhas de café da bandeira imperial. Nem se ela viu partir, exilado para a França, José Bonifácio com a família. Mas seu passo seguinte foi não desperdiçar o contato feito. Há tempos, prometera a Leopoldina um desenho de São Cristóvão. O momento era oportuno para tentar uma segunda aproximação. Uma semana depois da queda do "amigo" Bonifácio, Maria almoçou com a amiga, a viscondessa de Rio Seco, e rumou para o palácio. Lá chegando, quis prestar suas homenagens a Pedro, que se encontrava acamado por conta da costela quebrada. Informada de que seria recebida, encontrou o imperador abatido, com o braço na tipoia e roupa caseira. Cercado de ministros e generais, ele falou-lhe com simpatia, em francês. Do pequeno quarto onde foi recebida, rumou para os aposentos de Leopoldina. Enquanto aguardava a imperatriz, observava a graça coletiva das princesinhas, "extremamente belas e parecidas com a mãe". Maria da Glória, a primogênita, "tem uma das caras mais inteligentes que já vi". Com Leopoldina, só encantamento: "uma mulher tão bem cultivada [...] amável, respeitável", paciente, prudente, corajosa, adorada por seus súditos e sua família.

Nessa ocasião, Maria se afastava lentamente da comunidade inglesa. Ou, melhor, era afastada pela comunidade. Ela, aliás, desprezava seus membros: só pensavam nos negócios. Maria se desesperava com quem chamava de "fazedores de dinheiro". Para piorar, seus amigos da *Dóris*, que por uma razão ou outra ainda se encontravam no Brasil, regressavam a Londres: "Entristeço-me... mas estou agora tão acostumada a ver partir de um modo ou outro todos aqueles que se ocuparam eventualmente comigo, ou manifestaram qualquer amabilidade a meu respeito, que espero em breve criar calos para a dor que esse sentimento ainda desperta".

As partidas sem as esperadas despedidas a faziam se sentir injustiçada. Abandonada. Apesar da chegada de um novo comandante da esquadra inglesa, *Sir* Thomas Hardy, "grande aquisição para as festas do Rio", ela se isolava. Definia-se como uma "triste pessoa numa triste casa". Vieram tempos difíceis. E ela buscou refúgio entre os brasileiros que a tratavam com condescendência, ou com deferência por sua condição de "inglesa". Sobretudo as famílias brasileiras ricas, a quem elogiava: "Dos mais importantes aos mais ínfimos, devo dizer que sempre encontrei a maior amabilidade; desde o fidalgo que me procura em trajes de corte, até o camponês, ou o soldado comum". Todos a tratavam bem e, na sua solidão, era grata a eles. Foi convidada para muitos chás, servidos "tal como se daria na Inglaterra", onde se empanzinava com bolos, roscas e doces.

Maria talvez não percebesse que, se para os brasileiros ela era a "inglesa", uma representante do Império que lhes dedicava benevolente atenção, para os ingleses ela não passava de uma viúva pobre e excêntrica. "Coitada, ela é uma mulher sozinha" – havia uma dose de compaixão na associação das duas palavras. E a expressão cabia a muitas mulheres. As guerras fabricaram milhares de viúvas. Mulheres que não preencheriam seu papel natural de esposas e mães. Criaturas incapazes de "fecundar o mundo". Que sofriam de desvio uterino. Que padeciam de anomalias em relação ao ideal feminino definido pelos códigos da época.

Viúvas eram empurradas para o papel de solteironas, portadoras da marca trágica de "mulher sem homem" ou de "mulher-homem". Seus interesses intelectuais afastavam Maria do modelo burguês da *perfect housewife*, da dona de casa burguesa. Os pensadores masculinos acreditavam piamente que cérebro e útero não podiam se desenvolver conjuntamente. Se andassem sós pelas ruas, como Maria costumava fazer, tornavam-se suspeitas. Seriam prostitutas? Seriam histéricas? Anêmicas? Afinal, obrigações morais eram cobradas das pessoas que viviam sozinhas. Tinham que ter comportamento impecável. Pior ainda, Maria não teve filhos e não tinha pais que lhe dessem qualquer apoio.

É estranho, mas, verdadeiro: nunca soube como ou quando surgiu a ideia de me tornar governanta das princesinhas. Quem primeiro me perguntou se eu aceitaria o cargo foi Sir *Thomas Hardy [...] Sem imaginar que ele estivesse no segredo, respondi: "Certamente".*

E acrescentei: "Que coisa deliciosa salvar essa linda criança das mãos das criaturas que a cercam, educá-la como uma dama europeia – ensinar-lhe, já que ela terá que governar este grande país, que o Povo é menos feito para os Reis, que os Reis para o povo".
O Imperador e a Imperatriz esperavam que eu requeresse formalmente o cargo que eles já haviam predeterminado conceder, a fim de nomear-me, sem demora, governanta das Princesas Imperiais. Confesso que fiquei arrebatada pela ideia de educar uma pessoa de cujas qualidades pessoais a felicidade de todo o Império devia depender. Imaginei que o Brasil poderia, sob um melhor governo, atingir o que nenhum país, salvo o meu, jamais alcançara.

A melancolia cedeu lugar ao projeto que, pelo visto, deixou de ser "um segredo". Ter a atenção da imperatriz, poupar a imperial criança da companhia de brasileiros e portugueses, educá-la à inglesa até torná-la *a finishing young lady* e, sobretudo, elevar-se da condição de viúva pobre e abandonada... Maria, enfim, viu luz ao final do túnel. Mas, governanta? Ser uma governanta – Maria sabia – não seria a mesma coisa que fazer "trabalhos literários". A situação de qualquer governanta era lamentável. A governanta era uma espécie de pólipo, um ser intermediário entre o homem e a planta, ou seja, entre os patrões e os criados. A família a trataria com um ar de condescendência revoltante e os domésticos só a obedeceriam se fosse a *upper nurse*, essa rainha absoluta em seus domínios, intimidante em sua majestade e tendo educado pelo menos duas gerações na casa. A infeliz criatura passaria os dias com seus alunos na sala de estudos. A vantagem é que ela não se perderia no simplório palácio de São Cristóvão, como aconteceria se tivesse que percorrer os corredores e salões dos castelos ingleses. Os conhecimentos mais vários lhe seriam exigidos: línguas vivas, música, desenho, história, geografia, trabalhos de agulha etc.

Não que Maria não os tivesse, mas, se houvesse professores sobre conhecimentos específicos, ela não poderia deixar a sala por um minuto, pois seria inconveniente deixar as jovens princesas sozinhas com um homem. Ela trabalharia com um zelo imperturbável, sem fazer proselitismo. Nunca entraria nas salas de recepção a não ser como acompanhante de suas princesas. Seu único tempo disponível seria tarde da noite, quando entrasse no quarto, exausta de um dia de trabalho. Nem o domingo lhe pertenceria, pois acompanharia as princesas mais de uma vez aos ofícios religiosos. Com tédio, ouviria as fórmulas vazias que contribuíam, tanto na sociedade como na família, para formar a ideia do que fosse "respeitável", certo ou errado. Maria sabia que a maior boa vontade do mundo – e Leopoldina a teria – não lhe afiançaria nenhuma consideração na corte. Sabia também que, ao terminar o dia, a tarefa que lhe garantiria o pão estaria bem-feita. Mas ela teria o coração vazio. Maria sabia de tudo isso e mesmo assim queria ser governanta das princesas.

No dia 15 de agosto, deu mais um passo à frente. Na festa de Nossa Senhora da Glória, padroeira da filha mais velha do casal de imperadores, na pequena igreja do outeiro do mesmo nome e ao som de música bem executada, colocou-se bem à vista no coro. Não teve surpresa ao ver-se reconhecida pela comitiva imperial quando esta entrou no templo.

Seguiu-se um baile e concerto numa casa brasileira, onde sua excentricidade ficou visível: "Ao entrar, fui recebida pelas moças da família e conduzida até a avó delas. Depois de lhe apresentar meus cumprimentos, fui colocada entre os membros da família com os quais tinha mais relações. Havia ali somente duas inglesas, além de *Lady* Cochrane e eu: a mulher do cônsul e a do comissário dos negócios da escravidão. Observou um cavalheiro estrangeiro que, apesar de sermos quatro, dificilmente conversávamos entre nós. Era perfeitamente exato. Quando estou numa sociedade estrangeira, gosto de falar com estrangeiros e não penso que seja sensato, nem delicado, formar grupos da própria nação". Delicado, talvez, não, Maria... apenas natural.

Passou o resto do mês de agosto andando a cavalo com seu amigo, Mr. Dampier. Foram à fazenda de Santa Cruz, ao morro do Pedregulho, ao Engenho Novo e a Itaguaí, percorrendo engenhos de açúcar e fazendas. Na do imperador, viu os negros plantando suas roças de milho e feijão. Em toda parte, tinham as portas abertas, pois eram *ingleses*.

Esse afastamento do Rio permitiu-lhe não só belos passeios por arredores encantadores, mas ela exultou, "pelos poucos dias passados mais inteiramente fora do alcance dos ingleses". Era como se depois de acabada a sua crise de melancolia, seus patrícios tivessem se tornado pestilentos. Sua única alegria eram as notícias de *Lord* Cochrane. Anotava: "Ele já fez mais do que se poderia esperar, ou talvez mais do que qualquer comandante, a não ser ele, poderia ter feito". E prosseguia em elogios. Tanto entusiasmo explicava, em parte, por que não conversava com a linda *Lady* Cochrane.

Chegou setembro. Maria conheceu a soldado Maria Quitéria, que esteve na guerra da Bahia e que, vestida de homem, fora lutar em Cachoeira. Ouviu sobre sua vida cheia de aventuras, a fuga da casa paterna para combater ao lado dos patriotas, disfarçada em roupas masculinas, e a entrada para o Regimento de Artilharia de Cachoeira. A jovem lutou sem ser identificada até pedir transferência para a Infantaria, que exigia menor esforço físico, e terminar a guerra reconhecida como heroína. Maria Quitéria estava no Rio para ser apresentada ao imperador, de quem recebeu o posto de alferes e a Ordem do Cruzeiro. A inglesa ficou encantada com a jovem inteligente e alegre, de modos delicados – apesar de iletrada, criada no sertão do rio do Peixe, onde as moças aprendem o uso de armas de fogo tal como seus irmãos. Assunto para um livro, sem dúvida...

Conheceu, também, uma família de índios botocudos que lhe vendeu arco e flecha. Andou a cavalo com dois "rapazes brasileiros muito bonitos", candidatos à Marinha Imperial, a quem fez visitar o Jardim Botânico e que, em suas palavras, "se recordarão deste dia na companhia de uma estrangeira como uma mancha azul num céu tormentoso".

O prazo do aluguel de sua casa em Botafogo expirou e ela mudou-se para uma casa na Rua dos Pescadores, em pleno centro do Rio. O novo contrato a fez pensar em voltar para a Inglaterra em algumas semanas ou meses – registrou. Na biblioteca pública, lhe arranjaram mesa, cadeira e um gabinete fresco para trabalhar no que quisesse. Sobrava-lhe tempo. Ela visitou um asilo de órfãos, o Hospital da Misericórdia e o cemitério protestante da Gamboa, "um dos lugares mais deliciosos que já contemplei" – escreveu. Parecia querer beber a cidade até a última gota.

No dia 1º de outubro, recebeu carta de Thomas endereçada "À minha cara senhora". Em detalhes, ficou sabendo da tomada do Maranhão e leu o anúncio: "Na minha volta, terei o prazer de levar ao conhecimento de Sua Majestade Imperial que entre os dois pontos extremos do Império não existe inimigo, seja em terra, seja embarcado".

No dia seguinte, ao receber a notícia do imperador de que *Lord* Cochrane vencera no Maranhão e merecia um voto de gratidão, a Assembleia rachou com dois votos contrários de deputados baianos. Maria escandalizava-se: "Mas quem, senão ele, havia libertado a Bahia dos portugueses, esse enxame de zangões que ameaçava devorar a terra?! [...] Mas o povo daqui parecia sentir que, com *Lord* Cochrane, conseguiu um tesouro". Segundo ela, o resto era pura inveja.

Seguiram-se três dias de festa. Sobre os ingleses, insistia, "queria ver muito pouca gente". No dia 12 de outubro, voltou ao palácio para celebrar o dia de anos do imperador. Outro passo? Como ela mesma contou: "Indicaram-me a tribuna chamada diplomática, mas que é de fato indicada aos estrangeiros respeitáveis [...] Assim é que compareci ao cortejo a que, afinal, não deveria estar sozinha, se não fosse pela maneira amável com que Suas Majestades me saudaram na capela e no corredor que conduz aos apartamentos imperiais". Chegou à sala interna do palácio a tempo de ouvir o imperador saudar *Lady* Cochrane, sua "bela patrícia", como marquesa do Maranhão. Seu marido fora elevado a marquês.

Diante da notícia, Maria não se conteve. Estava "tão entusiasmada, tão encantada" por seu amigo ter os méritos reconhecidos que correu até o imperador e, sem tirar as luvas – gafe imperdoável –, beijou-lhe as mãos com ardor. As senhoras à volta sorriram ironicamente. Contando com o fato de que não havia ninguém mais "benigno", ou melhor, mais avesso à etiqueta do que D. Pedro, ela esperou Leopoldina "para contar-lhe a falta".

Ao chegar, de vestido branco bordado a ouro e toucado de plumas verdes, a imperatriz conversou livremente com todos em português e, com Maria, sobre as novelas escocesas e literatura inglesa. Nada comoveu mais Maria do que ver oficiais negros beijando a mão delicada e branca da austríaca. A Rio Seco, assim como *Lady* Cochrane, foram nomeadas damas de honra de Leopoldina, e Maria observou que as três conversavam. No diário, ela escreveu que o assunto era ela mesma e o fato de ter dito que gostaria de educar a princesinha. Em seu relato, tudo parece ter acontecido naturalmente, mas, sabemos, ela deu passos calculados nessa direção.

Maria teria escolha? Tudo indica que não. Afinal, já não se tratava mais de desejar um emprego, mas de precisar de um. Tomou da pena e, no dia 13 de outubro de 1823, escreveu às Suas Majestades:

Ainda que vivamente interessada em falar a Vossa Majestade Imperial com referência ao importante negócio iniciado ontem pela Viscondessa de Rio Seco, por sugestão, segundo ela me informa, do meu conterrâneo Sir Thomas Hardy, não sei se terei coragem de propor-me para tão árdua e importante posição. Desde que se tratou disso, peço licença para assegurar a Vossa Majestade Imperial que é a minha maior ambição tornar-me governanta das Imperiais Crianças do Brasil [...] Gosto imensamente de crianças e dedicaria todos os meus pensamentos e sentimentos ao meu encargo, se ele me fosse confiado, com o maior ardor, porque não tenho agora nem mesmo os apelos do dever para dividir meu coração ou pensamento [...] Ofereço-me a Vossa Majestade Imperial, certa de que uma Princesa tão perfeita – no caso, Leopoldina – deve ser a verdadeira diretora dos pontos principais da educação de suas filhas; mas posso prometer ser uma zelosa e fiel assistente [...] e envaideço-me de que na Inglaterra, onde sou realmente conhecida, tais investigações darão resultado satisfatório.

Hábil, Maria atribuía o "importante negócio" a terceiros, colocava-se à disposição do imperador para suprir qualquer insuficiência que ele encontrasse e pedia para ir à Europa comprar livros e "outras coisas essenciais para o desempenho de minha interessante missão". O projeto amadureceu, embora a carta revele várias inconsistências que não sabemos se foram ou não registradas por Pedro e Leopoldina.

Ela afirmava não saber se teria condições de responsabilizar-se por tão importante missão, mas voltava atrás, afirmando que sempre quisera tornar-se governanta das princesas. Que por ser só, estaria disponível, embora coloque Leopoldina como a verdadeira educadora das filhas. E, *last but not least*, gabava o fato de ser conhecida na Inglaterra.

Dois dias depois, a resposta da imperatriz:

Senhora Graham, recebi vossa carta de ontem, à qual tenho o prazer de responder que eu e o Imperador estamos muito satisfeitos em aceitar vosso oferecimento para ser governanta de minha filha; e como expusestes que desejais ir à Inglaterra antes de começar a servi-la, o Imperador não pôs dúvida em permitir-vos essa ida e diz que sereis nomeada governanta de minha filha...

Assinava-se *Vossa afeiçoada Maria Leopoldina.*

Depois de ver partir tantos navios que poderiam tê-la levado de volta para a Inglaterra, Maria embarcou no dia 21 de outubro. Antes, foi a São Cristóvão despedir-se da imperatriz. Teria, a partir dessa data, a licença de um ano antes de voltar. Em uma semana fechou as malas que, por muito tempo, insistiu em manter abertas. Uma das explicações talvez se encontre na nota que deixou: "Havia determinado comigo mesma que havia de ver meu melhor amigo nesta terra após façanhas e triunfo. Mas já agora pus mãos à obra e não posso voltar atrás". Passou de melancólica a pragmática. E foi lendo, escrevendo e desenhando ao lado da família inglesa do capitão do navio que rumou para casa. ◌

Thomas e o Maranhão

Enquanto Maria reinventava seu destino, costurando uma solução com Pedro e Leopoldina, Thomas chegava a São Luís. Desde fins do século XVIII, o Maranhão crescia. Cresciam cidades. Crescia uma sociedade mestiça, e a população se estimava em cerca de cento e cinquenta e três mil pessoas. A capital, São Luís, tinha cerca de quatorze mil habitantes. O teatro de operações do Norte não estava isolado do que se passava no resto do pretendido império, que ainda vivia dias de incerteza. A sociedade maranhense mantinha uma proximidade geográfica, estratégica e econômica com Portugal, pois o Grão-Pará e o Maranhão se correspondiam diretamente com Lisboa, sem passar por Salvador ou pelo Rio de Janeiro. Isso contribuiu para o posicionamento das elites maranhenses mais favoráveis à causa constitucional portuguesa do que ao projeto que se formou no Rio de Janeiro em 1822.

O interior da província também crescia. Caxias, por exemplo, era a vila mais importante do Maranhão, ponto de comércio e de circulação, ligando rotas com o Piauí e com as demais províncias do Norte. As culturas de algodão e de arroz, inclusive com a presença de "fábricas para descascar" os grãos, eram as que mais se destacavam. A produção alimentava novas relações com a metrópole. As províncias contavam com a utilização intensiva de escravos, contribuindo para aumentar o tráfico de gente através do Atlântico. O gado abundante fornecia couro para toda sorte de produtos, de solas a sacolas. Nessa década, cresceu a presença de embarcações portuguesas, mas também de estrangeiras nos portos. Em São Luís, comerciantes ricos construíam sobrados e solares em estilo lusitano e importavam os costumes e a moda de vestir de Lisboa e da cidade do Porto.

Se o fim das Guerras Napoleônicas acelerou a conexão econômica com a metrópole, por outro lado, a permanência da família real no Rio de Janeiro e as consequências da abertura dos portos, com a chegada de novos comerciantes estrangeiros, suscitou problemas. Assim como outras regiões ricas do Norte-Nordeste, o Maranhão viu sua cota de impostos aumentada para sustentar a corte. O arrocho alimentava a antipatia ao poder instalado no Rio de Janeiro. Os produtores sofriam também com a atuação de comerciantes ingleses nas áreas de exportação, importação e créditos, que regulavam os preços do algodão. Eles arrematavam dois terços da produção. Essa presença causava desagrado e acentuava movimentos em favor da "soberania" portuguesa sobre o comércio. A conjuntura foi agravada pela queda do preço do algodão. Os britânicos se aproveitaram e facilitaram o endividamento dos agricultores junto aos comerciantes locais. O arrocho impactou mais ainda a indisposição para o pagamento dos impostos.

A proposta vinda do Rio de Janeiro assustava as elites ligadas a Lisboa. Tudo se agravava, pois entre seus membros se multiplicavam as disputas pela administração da província. E quando chegou o momento de tomar um partido, a grande maioria dos atores principais cerrou fileiras com Portugal. Repudiavam as novidades políticas do Sul. As notícias sobre a guerra da Bahia alimentavam a rejeição ao imperador. Então, o Maranhão reagiu para que o movimento do Rio de Janeiro não tivesse sucesso. O jornal *O Conciliador* cumpriu a tarefa de agitar a opinião pública, e os próprios cidadãos maranhenses financiaram grande parte da mobilização militar contra o império.

Em 4 de junho de 1823, uma reunião entre as autoridades maranhenses decidiu "sustentar até à última extremidade a causa portuguesa" e "levantar fortificações". Foram tomadas medidas de proteção a São Luís que incluíam ordem para que os navios mercantes da região oferecessem pessoal para ajudar nas canhoneiras. Aguardava-se, também, a chegada de reforços de Lisboa. Isso fazia a junta de governo acreditar que seria possível a reversão do quadro militar no interior maranhense, que lhe era claramente desfavorável.

126

Sim, pois no interior, as forças pró-Rio de Janeiro avançavam, ganhando batalhas e fazendo vítimas. A movimentação das tropas começou pelas localidades ao longo do rio Parnaíba e em vilas próximas, alongando-se em escaramuças regulares entre os dois lados até que as ofensivas independentistas tivessem sucesso sobre vilas estratégicas e permitissem o cerco a São Luís. Não foi um processo rápido: foram meses de longas marchas, além de constantes combates, que resultaram em muitas vítimas.

Em meados de julho de 1823, uma notícia veio completar a situação desfavorável das autoridades: chegavam informações do movimento em favor do absolutismo em Portugal, a Vilafrancada. Era o retorno de D. João VI ao poder e do Antigo Regime. Caía, portanto, a Constituição, e enrijecer-se-iam os laços de dominação. Nem todos queriam voltar ao passado.

Surgiram disputas entre autoridades favoráveis à manutenção do vínculo com Lisboa e outras que se voltavam, agora, para uma aproximação com o Rio de Janeiro. Uma primeira tentativa de convocação da Câmara, aprovada pelo Conselho para 14 de julho, resultou em novos confrontos e em mortes. Esperava-se que a própria adesão ao império poderia ocorrer nesse encontro, mas a precipitada ação de oficiais favoráveis à independência no quartel onde estava reunida a tropa pró-portuguesa terminou em uma descarga de fuzilaria, mortes, feridos e prisões.

Os ventos, no entanto, trocavam de direção. Pressionada pelas mudanças em Lisboa, pelo crescimento do partido independentista e pelo avanço das tropas favoráveis ao Rio de Janeiro, que se aproximavam pelo interior, a junta maranhense tentou o último recurso: negociar com o inimigo. Enviou representantes à cidade de Itapecuru-Mirim para tratar de um armistício. Na interpretação do governo, era preciso dar um tempo para que D. João VI, que retomara seus poderes absolutos, alcançasse um acordo com seu filho, o imperador. O momento era sensível e carecia de negociações. Navios com reforços eram ansiosamente aguardados.

Esse era o cenário político quando Thomas costeava o litoral. Aliás, ele decidiu, por sua conta, correr o risco de seguir para o Maranhão. Depois que deixara a Bahia, suas ações não eram mais autorizadas nem tinham caráter oficial, mas ele prosseguiu enviando a Pedro diversas bandeiras tomadas de navios de guerra. Antes mesmo de chegar a São Luís, Thomas cruzou com uma escuna. Não se fez de rogado: hasteou uma bandeira inglesa e enviou um escaler com um oficial e mais guarnição armada com espadas, pistolas e machadinhas. Quando interpelados, o oficial respondeu em inglês: "A nau é inglesa; vem de Rivinge para proteger o Brasil no Brasil? a Constituição del Rei D. João VI". Solicitaram um prático para orientá-los até o fundeadouro sem perigo, no que foram atendidos. Quando o homem chegou, mantiveram o engodo, enquanto lhe arrancavam todas as informações sobre o espírito da cidade, que estava dividida em dois partidos. Bem informado de tudo, Thomas mandou jogar a âncora a sessenta pés.

Dia 26 de julho de 1823: não se sabe se, com uma luneta, ele examinou o belo casario, as paredes grossas do convento das Mercês ou as carrancas da fonte de pedra do Ribeirão. Sabe-se que, ancorado nas águas escuras do rio Bacanga misturadas ao Atlântico, Thomas fez com que o *Pedro I* fingisse ser a *Pérola*, esperada pela junta para "socorrer este ponto do Brasil no Maranhão". A silhueta negra e lisa se destacava contra o sol, e Thomas sabia que a presença da embarcação já fora percebida na cidade.

Na baía de São Marcos, barcos de todos os tipos se aproveitavam do abrigo do molhe. Com a bandeira parlamentar hasteada, o brigue Infante D. Miguel havia sido despachado para dar as boas-vindas à suposta embarcação portuguesa e colocar-se às ordens. Thomas escondeu os marinheiros, que, acocorados, ouviam a água bater contra o casco. Aguardavam. Sem se identificar, o Pedro I deslizou suavemente em direção ao inimigo. Silêncio no convés. Segundo o relato do frei Paixão, mal colocou os pés no portaló, o comandante do brigue descobriu o ardil e tentou fugir. Tarde demais. A contragosto, teve que subir a bordo.

Thomas o recebeu "com ar e modo todo inglês". Era o império britânico que se dirigia ao comandante do brigue. Thomas tomou-lhe papéis contendo importantes informações sobre o estado da província e falou com ele por uma hora. Despediu-o com um ofício ao governo e teve uma de suas ideias. Decidiu se utilizar de "uma ficção que se tem por justificável na guerra": liberou o comandante do brigue, informando que toda uma esquadra independentista estava a caminho. O que seria de São Luís diante dos canhões de tantas fragatas comandadas por *Lord* Cochrane?

O oficial levou a São Luís a notícia, que foi completada com cartas do almirante ao governador e à junta. Com habilidade, Thomas argumentou que aqueles que jurassem lealdade ao império poderiam ficar na cidade. Na verdade, ele temia que seu ardil sobre a chegada de tropas e navios fosse descoberto. Na correspondência, Thomas esclarecia: sobre "a fuga das forças navais e militares portuguesas da Bahia V. Exa. está informado. Tenho agora de noticiar-lhe a tomada de dois terços dos transportes e tropas, com todos seus petrechos e munições". E, de fato, um comboio que seguia para o Maranhão fora por ele feito prisioneiro na Bahia. Thomas não só ameaçara com forças e retaliação, mas exigira o fim da resistência e o juramento a Pedro. Deu uma no cravo e outra na ferradura. Adiantou que seria moderado em relação aos portugueses, pois queria facilitar a harmonia entre os súditos do "Real pai e do Imperial filho".

Resposta imediata: o governo prometia vir, no dia seguinte, tratar com o *Lord*. Às 10 da manhã do dia seguinte, ao som da salva de canhões, com a bandeira imperial a tremular no mastro do *Pedro I*, Thomas recebeu a junta e o bispo, que declararam sua adesão ao império e a entrega de todos os pontos militares da cidade. Thomas certamente fora informado pelo cônsul inglês em São Luís, Robert Hescket, de que havia um partido pró-independência ativo na cidade. Segundo o jornal *O Conciliador*, o apoio era resultado do medo de confrontos sangrentos, da falta de adesão vinda de Portugal e da fome: faltava até carne nos mercados. De fato, ventos novos estavam soprando.

Em 28 de julho de 1823, foi realizada a declaração de independência e a emissão de um documento em que era anunciada a "cessação de hostilidades na província". No mesmo dia, foram publicadas proclamações do almirante, e a população ficou sabendo que, em 1º de agosto de 1823, seria feito o juramento público ao imperador e o embarque das tropas portuguesas. Thomas ainda libertou vinte e um cidadãos aprisionados por suas relações com a independência, os quais, em suas memórias, transformou em "centenas". Vivas da varanda do palácio! Vivas ao imperador e à independência! Tudo terminou com um jantar para os oficiais. Seguiram-se dias de "muitas pessoas de todas as classes que de terra têm vindo cumprimentá-lo" – anotava frei Paixão sobre Thomas.

É fato que Thomas conquistou o Maranhão sem derramamento de sangue e com apenas um navio. Mas houve resistências: oficiais e tropas portuguesas, com o apoio de um setor da milícia, recusaram-se a embarcar. Thomas não hesitou: mandou seiscentos homens armados de espadas, pistolas, chuços e espingardas com baionetas para a praia do Porto de Areia. O movimento foi prontamente desfeito. No convés, bem-humorados, Thomas e frei Paixão conversavam. Ele: "*Nosotros nos quedaremos em la nau, guardando-la*". O capelão: "Eu agradeço a Vossa Excelência toda a honra que me fez, querendo-me ter em sua companhia". E sublinhou que em ocasião de combate, não era padre, era soldado.

Thomas não o fez esperar: encheu-lhe a mão de ofícios e o enviou à terra para entregá-los ao governo. "E tomando um florete, que ocultei debaixo do hábito, parti com o comandante para o dito Forte de Areia", registrou, audaz, frei Paixão. Desembarcou e, ao som de tambores e pífanos, acompanhado da guarda principal, afixou uma proclamação na porta do palácio. As ordens eram claras: às 2 da madrugada, no largo do palácio, o regimento devia se reunir para ser desarmado. "Às três achava-se o regimento desarmado, sem que fizesse a menor resistência por consequência todos os amantes da Independência mui satisfeitos com as sábias providências que se deram..." – registrou frei Paixão.

Nesse mesmo dia, Thomas recompôs a tropa com quatrocentos e vinte e um militares. Nela incluiu muitos homens pobres e libertos, como o capitão negro Zacharias Antônio dos Santos e o alferes de polícia pardo Manoel Gualberto Leão. Tal como nas tropas cariocas, a presença de homens de cor era visível. Havia um problema: Thomas já tinha escrito ao Rio de Janeiro, demonstrando preocupação com o afluxo crescente de tropas irregulares, vindas do interior, em busca de "recompensas de guerra". Atraídos por novas remunerações, promoções e até anuência sobre saques como forma de recompensa, tais homens estavam ligados ao grupo do líder unionista Miguel Bruce, que abriu as cadeias, incorporou às tropas dezenas de libertos, armando, também, pardos, cafuzos e mamelucos. Tais "homens armados pela lei" garantiriam a Bruce o poder por um bom tempo.

Tão logo assumiu o controle da situação militar da província, no dia 28 de julho, Thomas solicitou à junta um inventário completo das propriedades públicas, bem como informações sobre o montante do dinheiro existente no Tesouro provincial. Foi prontamente atendido. No dia 5 de agosto, reclamou, como presa de guerra, não só o equipamento militar pertencente à administração anterior, mas também o confisco do Tesouro provincial, além de dois terços de toda a propriedade de portugueses não residentes. Thomas partia do princípio de que o decreto imperial de 11 de dezembro de 1822 passava para os captores toda a propriedade inimiga.

No dia 12, encontrou tempo para escrever algumas linhas a Maria: começando com um "Minha cara senhora", contou-lhe dos sucessos ocorridos na Bahia e em São Luís, acrescentando, abusivamente confiante, que o império não tinha mais inimigos em terra ou no mar.

Na mesma data, uma representação de negociantes portugueses foi enviada até o almirante, alegando que Portugal era o destino natural das exportações maranhenses e que uma atitude desse tipo poderia causar a retenção dos carregamentos de algodão e arroz no porto de Lisboa. O argumento de que as Cortes tinham caído e a afirmação de que com a nova situação o Maranhão não seria mais território inimigo não causaram a menor mudança na atitude de Thomas. Pelo contrário, aumentaram seu pragmatismo.

Em 14 de agosto, ele liberou duas proclamações: a primeira, reiterando suas ordens e a segunda, anunciando que todos os débitos devidos à antiga administração seriam legítimas presas de guerra. Diplomático ou esperto, negociou: um terço do valor das presas poderia ser mantido, se os outros dois terços fossem pagos até o dia 20 de agosto. A junta tentou argumentar: ele não teria tomado uma cidade inimiga, mas apenas expulsara as tropas portuguesas, que ainda permaneciam na capital.

De fato, enquanto sua discussão com a junta provincial sobre presas prosseguia, no interior, em 1º de agosto, as tropas pró-independência, que vinham do Ceará e do Piauí, finalmente tomaram a importante cidade de Caxias. Os adversários se renderam. Uma nova Câmara foi eleita naquela cidade. Logo após, foi enviada a São Luís uma junta de Delegação Extraordinária com as exigências das forças vitoriosas. Além de uma substancial quantia para o pagamento das tropas, os delegados reivindicavam eleições para um novo governo provincial e "o reconhecimento do direito dos captores a todas as propriedades e bens que haviam apresado em Caxias, além da demissão dos funcionários portugueses". Ou seja, repetia-se a situação já vista com as tropas pró-independência a serviço de Miguel Bruce.

Acuados e temerosos de possível reação de Thomas, a junta aceitou as imposições. A partir daí, toneladas de mercadorias foram enviadas para o Rio de Janeiro, no também capturado navio *Pombinha*, para ser tudo adjudicado aos tribunais de presas.

Em suas memórias, Thomas diria que o montante em mercadorias apreendidas na praça de São Luís chegou ao total de 121.463 libras esterlinas. Quanto às embarcações, ele relatou que foram "tomados nada menos de cento e vinte navios do inimigo, com registros e tripulações portuguesas, cujo valor, por muito moderada computação, montava acima de 2.000.000 de duros, o duro sendo a moeda chilena na época". Desse total, o Alvará de 1796 determinava que a oitava parte caberia ao comandante da esquadra, 2/8 ao capitão da embarcação apresadora, 2/8 seriam divididos, proporcionalmente a cada patente, entre os oficiais do navio, 1/8 iria para mestres e oficiais subalternos e 2/8 seriam repassados aos demais tripulantes.

Evidentemente, confiscar foi mais fácil do que receber. A maior preocupação de Thomas sempre fora o pagamento dos marinheiros, e ele temia que a experiência difícil no Chile se repetisse. Pior foi que, das cargas apreendidas, durante as lutas pela independência chilena, ele recebera apenas uma fração. Somente em 1845 o seu contencioso com o governo chileno seria resolvido.

A péssima experiência anterior determinaria todo o seu relacionamento com o governo brasileiro. Foi por isso que Thomas deixou claro, em suas memórias, sua disposição para reivindicar: "Como oficiais e marinhagem estavam ansiosamente esperando o seu dinheiro de presas, era dever meu para com a esquadra apertar o Governo pela estipulada repartição do mesmo dinheiro".

As ações e o discurso de Thomas tinham sempre duas vertentes. Por um lado, ele não arredava um milímetro do seu objetivo de arrecadar o prêmio de que julgava ser merecedor. Por outro, estava comprometido por lealdade e por afinidade com o projeto político de Pedro, fosse qual fosse. Partilhava, com as elites brasileiras da época, a mesma visão de mundo, que via como anárquica a participação política de índios, negros e da população "não branca" em movimentos de revolta. Mas sua experiência lhe dizia que, uma vez contemplados com alguma forma de pagamento, além de suprimentos e roupas, o perigo amainaria, e as tropas vindas do interior voltariam para suas regiões de origem ou se dispersariam.

Thomas também teve que lidar com escravos que tomaram a independência pelo fim da escravidão. A liberdade do Brasil – pensavam – seria a sua. Saíram às ruas tomando parte nos conflitos e arruaças e chegaram a matar senhores no interior. Temerosos de voltar para seus senhores, capturaram botes e foram pedir a proteção do almirante. Thomas espalhou-os por seus navios. Posteriormente, declarou-os presas de guerra e levou-os embora para serem vendidos em outros lugares.

Em nome da "tranquilidade da Província", o almirante cedeu ao pedido dos comerciantes locais. Porém, como já fizera no Chile, não sem antes escrever ao ministro da Marinha, deixando claro que tinha assegurado a seus oficiais e marinheiros que nada perderiam em "serem suas presas provisoriamente". Frei Paixão registrou terem sido apreendidas, nas operações no Maranhão, dezessete embarcações, entre brigues, sumacas, escunas e canhoneiras, seis das quais foram enviadas ao Rio de Janeiro, concluindo: "O *Lord*, todo o tempo que esteve em terra, não descansou em fazer os mais relevantes serviços a favor da causa do Brasil, cujo zelo é ilimitado". Não há qualquer registro de que Thomas teria pilhado a cidade em benefício próprio ou de seus homens.

Thomas também tentou impedir, sem muito sucesso, os distúrbios antilusitanos em São Luís. Frei Paixão chegou a registrar alarmado que "todos os europeus – leia-se portugueses – que ocupavam empregos públicos foram esbulhados, sem mais formalidades do que ouvir: 'É europeu, morra de fome e sua família ainda sendo aderente ao sistema de independência!'". A política local vinha se radicalizando pela disputa por cargos na administração. De um lado, estavam o membro da junta, Bruce, e o presidente da Câmara municipal Luís Salgado, e de outro o comandante de Armas, José Pereira de Burgos.

E Thomas a matutar:

A parte mais estranha do negócio era que ambos os partidos declaravam sustentar a autoridade imperial, ao mesmo tempo que um acusava o outro de tramar pela República. Bruce estava mantendo posse da cidade por meio de tropas negras dentre as quais havia escolhido seus oficiais conferindo-lhes patentes em regra; resultando daí que os excessos de tal tropa conservavam a gente limpa dos habitantes num estado de terror constante.

O almirante tentou marcar uma eleição para a escolha de uma nova junta, mas a situação evoluiu para luta armada entre os partidários dos dois grupos. O grupo de Bruce e Salgado saiu vitorioso, com o apoio das tropas locais, reforçadas por contingentes das cidades vizinhas, compostas por muitos "homens de cor". Seus partidários acusaram então comerciantes portugueses de apoiar a facção rival. A partir daí, nas primeiras semanas de setembro, foram desencadeadas ações de saque e violências contra a comunidade lusitana, suas casas, lojas e armazéns. Thomas não tinha forças suficientes para interferir, mas deu abrigo em seus navios às famílias que procuraram refúgio.

Hábil diplomata, Thomas rompeu o impasse político no qual havia mergulhado a junta de São Luís. Seu discurso em relação a essa situação foi bastante cauteloso. Pela primeira vez, ele abriu mão de pôr a culpa numa conspiração portuguesa formada para destruir o império. Por um lado, afirmou que boa parte da violência teria sido reação às prisões e deportações realizadas na cidade pelo grupo fiel a Lisboa, que governava no período anterior à sua chegada. Por outro, reconheceu que muito do antilusitanismo de Bruce e de seus aliados provinha das vultosas dívidas que membros do partido teriam com comerciantes portugueses, por eles considerados "nocivos". Thomas havia captado as articulações internas pelo poder. À época, chegou a escrever ao então ministro José Bonifácio, prevenindo-o:

Estes cavalheiros quase todos pertencem a uma mesma família, nem bem assumiram as rédeas do governo, e logo destituíram todas as pessoas de postos oficiais, como também nomearam para estes postos parentes, amigos e dependentes, sequer considerando seus talentos, hábitos ou qualificações, incitando assim descontentamento e ojeriza entre os brasileiros que foram excluídos e os portugueses que foram dispensados.

Ao mesmo tempo, narrativas sobre o heroísmo dos maranhenses que lutaram pelo Brasil foram forjadas no calor da hora e encaminhadas ao imperador, sempre acompanhadas de alguma solicitação de cargo ou honraria. No plano geral, um tenso movimento de acomodação e expurgo ditou a dinâmica dos meses que se seguiram. O caso do Maranhão configurou um dos mais emblemáticos de como o primeiro momento de incorporação das províncias do Norte-Nordeste deveu-se em grande medida à ação militar. Ação que logrou a adesão, não a fidelidade. Ainda seriam necessárias muitas medidas, políticas e militares, e um longo espaço de tempo, para que fosse construída a unidade pretendida por Pedro em seu projeto que redundou na independência – como bem explicou um historiador.

Depois de enviar inúmeras cartas ao Rio de Janeiro, pedindo instruções, e de marcar uma nova eleição para outubro, Thomas comunicou à junta local que iria com o *Pedro I* até o Pará. Na verdade, ele tinha informações de que a missão de Grenfell em Belém teria sido cumprida com êxito. No entanto, o verdadeiro rumo que tomaria era o da corte imperial, onde esperava poder acompanhar de perto o julgamento das presas. O anúncio de uma viagem curta fora um estratagema para que o governo maranhense acreditasse que ele ainda estava presente na região.

Ao final de setembro, no porto de São Luís, Thomas deixou o capitão-tenente George Manson e a escuna *Pará*. Teve que navegar do norte para o sul em direção contrária ao vento e à corrente, e descobriu que era mais fácil ir por mar de São Luís a Lisboa do que ao Rio. Não imaginava que teria que voltar. ❧

Thomas, Pedro e Leopoldina

O *Pedro I* entrou na barra do Rio de Janeiro ao cair da tarde do dia 9 de novembro de 1823. O imperador subiu imediatamente a bordo, por uma escada de cordas, para agradecer a Thomas pelos "grandes serviços" prestados. A escada não foi armada a tempo, e Thomas desceu para beijar a mão de Leopoldina. Encontrou um clima diferente do que havia deixado. O ministro José Bonifácio tinha sido exilado, o antilusitanismo estava no ar e a Assembleia, dissolvida. Foi recepcionado com suntuosa festa, agraciado com o título de marquês do Maranhão e condecorado com a Grã-Cruz da Ordem do Cruzeiro do Sul. Os oficiais, a maioria dos quais ingleses, compartilharam das honras recebidas. Aliviado, Thomas reencontrou Kitty e a filha.

Na época, Pedro passava o tempo estudando as constituições de Portugal de 1822, da Noruega e da França, tentando construir a brasileira. Quando achava algo aplicável ao Brasil, anotava, modificava o texto e apresentava ao Conselho de Estado. Formulou, assim, uma das constituições mais liberais que existiam em sua época, superando até mesmo as europeias. A nova Constituição continha princípios básicos de Direito público, trinta e quatro artigos referentes, entre outros, aos direitos individuais das pessoas e suas propriedades, liberdade de culto religioso e uma novidade, um quarto poder: o poder moderador. Por meio dele, o imperador poderia nomear os membros vitalícios do Conselho de Estado, os presidentes de província, as autoridades eclesiásticas da Igreja Católica Apostólica Romana e os membros do Senado vitalício. Também poderia nomear e suspender os magistrados do Poder Judiciário, assim como nomear e destituir os ministros do Poder Executivo. Era o Antigo Regime em roupas novas, como bem disse um historiador. O liberalismo constitucional viria como concessão do alto, não como resultado de representação política. Poucos meses depois do regresso de Thomas, no dia 25 de março de 1824, a Constituição, feita exclusivamente por Pedro, foi outorgada.

Enquanto aumentava a família com Leopoldina, pois ela dera à luz a princesa Paula Mariana e estava grávida de Francisca, Pedro fazia o mesmo com sua amante. A segunda gravidez de Madame de Castro levou-o a intervir no processo de separação desta com seu marido. Em quarenta e oito horas, tempo recorde, uma justificativa foi redigida e, em dois meses, a sentença de divórcio foi lavrada. Como se não bastasse, em novembro de 1823 nascia um filho seu, Rodrigo, da irmã de Domitila de Castro: a baronesa de Sorocaba, Maria Benedita de Castro de Canto e Melo. Segundo as más línguas, ela queria o cargo melhor, de administrador de todas as propriedades da coroa, para o marido. Já a amante oficial foi elevada a dama do Paço. Não à toa, Leopoldina escrevia ao pai que aqui "era preciso procurar mulheres virtuosas com o microscópio"!

A paciente Leopoldina continuava a ajudar os mercenários estrangeiros que vinham para o Brasil com a promessa de encontrar um paraíso. Sentia-se na obrigação de proteger seus súditos. Quanto ao império recém-independente, ela o considerava um "país onde tudo é dirigido por vilania e ciúme, e no qual um austríaco autêntico não pode viver" – escrevia ao pai.

Sua situação financeira, inclusive, piorava, pois ninguém saía de uma entrevista com a imperatriz de mãos vazias: "Todas as sextas-feiras cedo, às 9 horas, há audiência pública no palácio residencial. Os audientes se reúnem na antessala sem distinção de posição e classe, mesmo sem roupa própria de corte, de modo que até pobres e descalços podem comparecer às audiências, e permanecem na ordem da entrada". No mesmo dia da semana, Leopoldina visitava a igreja de Nossa Senhora da Glória, onde assistia à missa. Para falar com ela, bastava se fazer anunciar por um dos criados ou esperar na entrada da quinta.

Com o marido, seguia uma rígida programação: pela manhã, visita a cavalo às propriedades da Quinta da Boa Vista, lavouras e colonos. Depois caçavam juntos – os tiros podiam ser ouvidos no palácio – ou iam ao Jardim Botânico averiguar o desenvolvimento de espécies, como o chá ou a fruta-pão. Na volta, enquanto Pedro recebia ministros, Leopoldina se recolhia. Almoçavam separadamente. Quando havia espetáculo no teatro, iam juntos. Ao voltar, a imperatriz era trancada pelo imperador em suas dependências, que só eram abertas no dia seguinte. Além de suportar a traição pública que lhe impunha o marido, Leopoldina sabia não ser estimada. Era "estrangeira". Tampouco era "amada" por Pedro. Apenas a religião e a consciência tranquila de cumprir seu dever fazendo herdeiros a confortavam. No palácio, aguentava o rancor de criadas, amas e damas portuguesas que haviam acompanhado a família real e a tratavam com desprezo. Preferiam que Pedro tivesse casado com uma portuguesa.

Sobre as filhas que seriam educadas pela governanta inglesa, escreveu à irmã: "Maria é uma verdadeira alemã, franca, alegre e ama todos os prazeres vivos e violentos; Januária é mais portuguesa, menos alegre, e se ouso falar com franqueza, preguiçosa". Sua preocupação era a formação das meninas. Considerava a educação brasileira "uma miséria". Não tinha autonomia para escolher o que considerava adequado para as pequenas princesas. Afinal – queixava-se –, nem os direitos de uma mãe decidir sobre a educação das filhas ela tinha. Eram as damas e criadas portuguesas que o faziam. O marido as apoiava. Em seu tempo livre, Pedro ia encontrar-se com Domitila de Castro e, não raro, dormia depois da meia-noite. Leopoldina era um poço de sofrimento.

Thomas também colheria sua porção de agruras. Se antes tinha o aval do ministério de José Bonifácio, com quem se correspondia, doravante encontraria um governo identificado com os interesses de portugueses estabelecidos no Brasil ou que tinham negócios aqui. Protegeu-se. Solicitou logo que se registrasse sua patente de primeiro-almirante para receber seu soldo e emolumentos sem interrupção. Os termos da patente, que seriam posteriormente violados, conferiam ao marquês do Maranhão, "por sua bravura e intrepidez", onze contos, quinhentos e vinte mil réis, tanto em terra quanto em mar.

Conforme o combinado, Thomas realizou sua missão tendo como perspectiva, além das presas de guerra, tal como se fazia então, o pagamento acertado com o imperador antes da partida da esquadra. O primeiro contratempo veio daí: as presas de guerra, feitas contra os que se opunham à independência e, portanto, contra comerciantes e proprietários portugueses, eram propriedade de portugueses. Estes, agora, se tornaram aliados e membros do novo governo. Livre de José Bonifácio, o imperador parecia ter esquecido o trato ou desistido de cumpri-lo. Thomas se viu na mesma situação que vivera no Chile: ia tomar um calote.

Em meio à declarada perseguição que começou a sofrer por parte da facção pró-portuguesa, Thomas recebeu uma visita do ministro da Marinha, Vilella Barbosa. Ele trazia um recado verbal do imperador, dizendo que faria pessoalmente por Thomas, e apenas por ele, o que estivesse a seu alcance. Essa constrangedora mensagem equivalia a pisar nos brios de Thomas: um capitão que nunca descurou de seus homens, que colocava sua tripulação acima de tudo, receber o que lhe era devido enquanto seus homens nada teriam? E respondeu ao imperador: "Que sua majestade me tinha já conferido honras bastantes para os meus merecimentos – e que o maior favor pessoal que podia fazer-me era instar pela prestes adjudicação das presas, de sorte que oficiais e marinhagem pudessem gozar a recompensa decretada por autoridade mesma do imperador". A vexaminosa proposta de trocar enriquecimento pessoal por direitos de seus homens falhou.

Thomas insistiu para que se fizessem os pagamentos devidos ao pessoal. Obteve a promessa de que no dia 27 de novembro seriam pagos apenas três meses de trabalho. "Tal mesquinha pitança rejeitou-se" – ele registrou.

Pedro mordia e soprava ao mesmo tempo. Em meio à cobrança dos salários atrasados e do contrato não cumprido com Thomas, convidou-o a participar como membro de seu conselho privado. Parecia querer silenciá-lo. Mas Thomas percebeu a manobra e anotou: "Era circunstância singular que, enquanto S. M. Imperial me consultava sobre matérias de importância e, pelas honras que me conferia, manifestava seu apreço por minhas opiniões e serviços, estavam seus ministros antibrasileiros praticando comigo e com toda a esquadra toda a sorte de vexações".

A situação era escandalosa. Para facilitar o tratado de paz com Portugal, o ministério criou um tribunal de presas composto por treze pessoas, nove das quais, portuguesas. A dita comissão votou contra qualquer confisco de navios portugueses tomados na última campanha. Chegaram ao cúmulo de entregar a um reclamante português um navio recheado com mercadoria que não lhe pertencia. Outra igualmente escandalosa: Taylor, companheiro de Thomas, foi sentenciado a seis meses de prisão na ilha das Cobras por destruir navios portugueses que lhe fugiram. A ordem de destruição foi dada pelo próprio imperador! Grenfell, recém-chegado do Pará com uma presa, teve o dinheiro confiscado e levado ao Tesouro, apesar das garantias de Pedro sobre o direito dos tomadores.

Enquanto durava o processo, os navios apresados e detidos no porto eram saqueados com a conivência das próprias autoridades portuárias. O tribunal de presas ainda condenou Thomas a restituir as somas pelo resgate de propriedades tomadas na Bahia e no Maranhão – decisão que ele se recusou a cumprir. As violações dos tratos feitos e as arbitrariedades eram constantes.

Pior. Thomas escapou por pouco de ser preso, pois estava em curso uma conspiração contra ele. Pedro tinha sido convencido de que ele escondia uma soma enorme de dinheiro em seu barco. Como estivesse morando em terra, sugeriu-se uma busca em seu navio, durante sua ausência. No meio da noite, informado por Adèle, esposa do naturalista francês Aimée Bonpland, de que sua casa estava cercada de soldados para prendê-lo enquanto sua nau fosse revistada, Thomas não teve dúvidas: saltou o muro do quintal e partiu a galope para São Cristóvão. Lá chegando, exigiu ser recebido por Pedro. O camarista tentou dissuadi-lo de ver o imperador, alegando que este já se encontrava deitado. Deitado ou não, Thomas exigia falar-lhe. A discussão esquentou e o tom das vozes aumentou, obrigando Pedro a sair às pressas do quarto. Indagado sobre o que acontecia, Thomas requereu que fossem nomeadas pessoas de confiança para acompanhá-lo numa visita de inspeção. Mas ameaçou: "Se alguém de sua administração antibrasileira" se aventurasse a bordo, seria recebido como pirata e tratado como tal.

Pedro desculpou-se: "Pareceis estar informado de tudo, mas a trama não é minha [...] A dificuldade é como há a revista de dispensar-se". E sugeriu, ele mesmo, o subterfúgio com que adiaria a medida: "Estarei doente pela manhã". De fato, na manhã seguinte correu a notícia de que o imperador tinha passado mal à noite. Todas as pessoas correram ao palácio para ter notícias do imperador, entre elas, Thomas. E ele contou o desfecho desse constrangedor episódio: "Entrando no salão, onde o imperador [...] estava no ato de explicar a natureza de sua doença [...] dando com os olhos em mim, desatou a rir Sua Majestade, sem poder se conter, numa risada em que eu, muito à vontade o acompanhei". Foi o fim de uma comédia patética, feita de sovinice por parte do governo e de desconfiança por parte do almirante.

Em 12 de fevereiro de 1824, Thomas estava tão desencantado que escreveu uma longa carta ao imperador, listando seus serviços, protestando contra o tratamento que lhe estava sendo imposto e apresentando sua demissão. Seus homens se sentiam enganados. O montante prometido era sempre adiado. Contratados na Inglaterra por um agente desonesto com a promessa de boa paga, cem marinheiros tiveram seus pagamentos recusados ao chegar ao Brasil. Frente à embaraçosa situação, alguns ministros se preocupavam e, sobretudo, temiam a tentativa de reconquista do país. Temiam, também, ficar sem os serviços do marquês do Maranhão.

O impasse era grande e era preciso pacificar a situação. Não se podia voltar atrás na questão das presas restituídas aos comerciantes majoritariamente portugueses. A solução foi arranjar dinheiro do Tesouro falido. Thomas e seus homens seriam ressarcidos do valor das presas confiscadas e lhes seriam distribuídos quarenta mil réis – um enorme compromisso para o governo, pois equivalia ao custo da Marinha por um ano. O título de comandante em chefe da Esquadra Imperial foi ampliado para comandante em chefe das Forças Navais do Império.

Nessa mesma época, mudanças na vida privada de Thomas o abateram. Kitty não gostou da estada no Rio de Janeiro. Achou a corte brasileira entediante, sofreu com o calor e a umidade do verão tropical, além de ficar grávida de seu terceiro filho. Tal como já fizera em Valparaíso, no dia 17 de fevereiro ela embarcou no navio *Marquesa de Salisbury* com a filha e as criadas, com destino a Londres, deixando-o sozinho com suas preocupações. Taciturno, solitário, Thomas passou a ver inimigos em toda parte. Ele, que soltara as velas para uma aventura bem-sucedida na América do Sul, via-se mergulhado num drama sórdido, no qual só contavam os lucros cessantes e danos emergentes. O capitão Kotzebue, da Marinha russa, que tanto tinha esperado para conhecer o herói, ao encontrá-lo, finalmente, decepcionou-se. Thomas respondia por monossílabos e não tirava os olhos do chão.

Embora continuasse a ser tratado com deferência e consultado sobre todos os assuntos ligados à defesa nacional e questões marítimas, ele se ensimesmava. Ainda que os procedimentos da administração naval fossem rigorosamente cumpridos e todas as instruções para alimentação, pensões, promoções e pagamentos, também, Thomas mergulhava em suspeitas.

No dia 20 de março, pediu demissão pela segunda vez. Numa carta, costurou a extensa lista de queixas: a esquadra não sofreu reparos necessários, faltava regularidade aos pagamentos, não se conformava com o saque das presas e multas impostas sobre as leis de apresamento, muito menos com a obrigação de confirmar a existência de uma guerra, e terminava com uma ironia: de fato, seria um sofrimento para os cavalheiros portugueses da Corte do Almirantado ter que confiscar a propriedade de seus conterrâneos e amigos.

O ministro e secretário de Estado dos Negócios do Império, João Severiano Maciel da Costa, respondeu num tom que demonstrava o quanto as queixas de Thomas começavam a cansar o governo: as intenções do imperador e dos membros do Conselho eram de agradá-lo, e a solução para os desentendimentos sempre lhe tinham sido favoráveis. As dificuldades envolvendo a questão das presas tinham origem conhecida, e seria melancólico atribuí-las ao Conselho dos ministros, pois dois juízes haviam sido demitidos por não terem requisitos para exercer a atividade. As dificuldades encontradas no Arsenal e nos escritórios do Ministério eram totalmente imaginárias. Para agradá-lo, o governo do imperador incorreu em imensas obrigações e sacrifícios, e seria uma infelicidade que, em lugar de agradecimentos e satisfação, Thomas só respondesse por recriminações amargas e violentas. "De minha parte, não sei de que maneira poderei contentá-lo; e acredito que sua correspondência oficial, uma vez publicada, poderia prová-lo" – escreveu Costa.

Mas Thomas não se dobrava. Escreveu ao irmão dizendo que no Brasil se batia contra "o mesmo tipo de gente que deixei do outro lado; uma quadrilha ignorante, obstinada e obtusa". E respondeu com mais queixas ao ministro Costa. Ao da Marinha, Villela Barbosa, em junho, fez três exigências: o Brasil deveria adotar os regulamentos da Marinha britânica, os membros portugueses natos do Conselho de presas deveriam ser demitidos, os duzentos contos de réis devidos à esquadra deveriam ser pagos em dinheiro. Durante o mês de junho, contentou-se em, através dos jornais, trocar uma correspondência envenenada com Villela Barbosa. Assinando-se Cochrane e Maranhão, Thomas atacava os membros da corte que "ocupavam cargos públicos, continuando e exultando em falsidades e praticando fraudes que, a ser um particular, o envergonhariam para toda a vida"; justificava seus atos e convidava a opinião pública maranhense a opinar sobre se "ele teria cometido alguma arbitrariedade".

Enquanto isso, Pedro se entrincheirou no grupo de antigos apoiadores antibrasileiros. Leopoldina, por seu lado, acompanhava a situação política: "Os jornais falam e as tempestades trovejam". Para ela, os ministros governavam "tudo torpemente". Ela, como tantos, pensava assim, pois Pedro parecia guiado por princípios retrógrados. A sombra do pequenino Portugal parecia invadir o imenso Brasil. Só circulavam jornais favoráveis aos interesses portugueses. Os absolutistas, que antes se escondiam, agora alegavam que os princípios constitucionais não podiam ser aplicados. E, nas páginas do *Diário Fluminense*, defendia-se a legitimidade de Pedro contra sua aclamação pelo povo. A Constituição era letra morta.

Nas províncias do Norte, as reações explodiam. A Câmara da Bahia reagiu à dissolução da Assembleia com "profundo pesar". No Ceará, a cidade de Quixeramobim se recusou a ratificar a Constituição e declarou o imperador e sua dinastia excluídos do trono. Queria um governo republicano. O Maranhão estava em guerra civil. As câmaras de Recife e Olinda não só rejeitaram a Constituição e o presidente que Pedro indicou para a província, mas proclamaram a independência de Pernambuco, conclamando as províncias do Nordeste a aderir à Confederação do Equador. Em tese, o novo Estado republicano seria formado, além de Pernambuco, pelas províncias de Piauí, Ceará, Rio Grande do Norte, Paraíba, Sergipe e Alagoas. Contudo, nenhuma delas aderiu à revolta separatista, com exceção de algumas vilas da Paraíba e do Ceará. Thomas recebeu essa informação junto com outra: uma expedição tinha sido enviada à sua revelia, tendo falhado na missão de calar o movimento. Considerou a operação "um insulto premeditado" por parte dos inimigos, pois sequer fora avisado.

Enquanto Thomas e o ministro da Marinha faziam queda de braço, a revolta cresceu no Nordeste. Pedro também recebia notícias de que Portugal se preparava para a reconquista. Ou notícias falsas: que a família real estava embarcando de volta para o que D. João chamava de "os seus Brasis". Durante o mês de julho, mais notícias de além-mar. A Constituição liberal jurada pelo rei vigoraria apenas durante alguns meses. O liberalismo não agradou a todos e, no ano anterior, erguera-se um movimento absolutista. Em 27 de maio de 1823, o infante D. Miguel, instigado por sua mãe, dona Carlota, liderou uma revolta, conhecida como a Vilafrancada, tentando restaurar o absolutismo. Mudando o jogo, o rei apoiou o filho, a fim de evitar a própria deposição – desejada pelo partido da rainha –, e apareceu em público ao lado do infante, no dia de seu aniversário, apaziguando a situação e sendo aclamado pelo povo.

A aliança do rei com D. Miguel não frutificou, já que, sempre influenciado pela mãe, o infante, em 29 de abril de 1824, levantou a guarnição militar de Lisboa e colocou o pai sob custódia no Paço da Bemposta, na chamada Abrilada, a pretexto de esmagar os maçons e defender o rei das ameaças de morte que aqueles lhe teriam feito. Na ocasião, mandou prender diversos inimigos políticos. Na verdade, o infante tentava forçar a abdicação do pai. Alertado da situação, o corpo diplomático penetrou no palácio, e, diante de tantas autoridades, os guardiães do rei não resistiram e recuaram. Em 9 de maio, por conselho de embaixadores amigos, D. João simulou um passeio à cidade de Caxias, mas, de fato, foi buscar refúgio junto à armada britânica ancorada no porto.

A bordo da nau Windsor Castle, chamou o filho, repreendeu-o, destituiu-o do comando do exército e ordenou-lhe a libertação dos que prendera. D. Miguel foi exilado. As turbulências internas em Portugal deixavam claro que não seria aquele o momento para uma invasão ao jovem império.

Nos *Brazils,* os problemas cresciam. Diante da resistência pernambucana, Pedro perguntava, em proclamação de 27 de julho de 1824:

"O que estão a exigir os insultos de Pernambuco? Certamente um castigo, e um castigo tal que sirva de exemplo para o futuro". Na mesma data, o ministro da Marinha assinou um decreto permitindo a Thomas continuar como comandante em chefe pelo tempo que quisesse. Sim, pois, para castigar Pernambuco, chamou Thomas novamente. "Fácil era assim dar as ordens para equipar uma esquadra, mas, depois do tratamento recebido, não era tão fácil levar a coisa a efeito. Toda a maruja estrangeira tinha abandonado em desgosto os navios." E meter portugueses a bordo, como registrou Thomas, "teria sido pior, além de inútil". Em carta ao ministro da Marinha, ele estabeleceu as condições: "pagamento e dinheiro das presas antes de sairmos ao mar". Em finais de julho, no *Diário do Rio de Janeiro*, Thomas convidava os desembarcados a assentar praça no D. Pedro I e receber o pagamento atrasado.

Um pouco antes da partida de Thomas com destino a Recife, Leopoldina escreveu a Maria em Londres:

> *Milady,*
> *Com muito gosto recebi as suas duas cartas e ainda mais a certeza de que está gozando de perfeita saúde e ocupada em escolher todos os objetos necessários para o estudo de minhas muito amadas filhas. As despesas que precisa fazer com muito gosto eu lhe pagarei à sua chegada ao Rio; que se é preciso prolongar a sua ausência mais de um ano, o Imperador a concedeu.*
> *Eu comecei a ler a sua obra sobre a vasta e interessante Índia, que certamente é muito interessante e ocupa a atenção particular de todas as pessoas que amam as belas letras e história.*
> *Esteja persuadida de minha particular estima e amizade, com as quais eu sou sua muito afeiçoada,*
> *Leopoldina.*

A 2 de agosto, Thomas deixou o Rio de Janeiro com uma divisão naval composta por uma nau, um brigue, uma corveta e dois botes de transporte de alimentos, além de mil e duzentos soldados liderados pelo brigadeiro Francisco de Lima e Silva. Mal sabia ele que iria reencontrar Maria em Recife. ∾

Thomas e Maria

A 18 de julho de 1824, Maria embarcou num brigue de guerra em Falmouth. Destino: o palácio de São Cristóvão no Rio de Janeiro. Voltava após onze meses nos quais se dedicou a reunir material didático para a princesa Maria da Glória, de quem se ocuparia como governanta. Um mês depois, entrava nas águas turquesa do litoral de Recife, parada obrigatória. Ao longe, avistou um navio de guerra. Nada mais, nada menos do que o *Pedro I*. Pareceu-lhe uma fatalidade encontrar-se novamente na cidade sitiada. Um guarda-marinha veio a bordo e ela prontamente escreveu a Thomas. Antes mesmo de obter resposta, entrou num bote e foi ao seu encontro. Exultou ao "vê-lo deixar o navio no intuito de me buscar". Jantaram juntos. "Tive uma conversa agradável e proveitosa com *Lord* Cochrane. Vi os jornais. A imperatriz teve outro filho: se é homem ou mulher, não sei" – anotou no diário, com aparente frieza. Onze meses não eram onze dias. A magia dos passeios na praia tinha desaparecido. E era fácil, para um inglês ou inglesa, zombar de sentimentos passageiros, esquecendo emoções vividas.

Por que Thomas estaria lá e o que se sabia sobre a chamada Confederação do Equador? Os dois maiores líderes liberais na província, Manoel de Carvalho e Frei Caneca, eram republicanos que aceitaram a monarquia por acreditarem que, ao menos, teriam autonomia provincial. A promulgação da Constituição em 1824, com seu regime altamente centralizado, frustrou seus projetos e os da elite pernambucana. A semente da revolta se plantou, e os jornais criticavam dura e abertamente o governo imperial: "chave mestra da opressão" ou "invenção maquiavélica" é como chamavam o poder moderador criado por Pedro. Ele era considerado "um traidor que abandonou o Brasil aos portugueses".

Em suas memórias, Maria diria "que o sentimento republicano, que sempre distinguiu os pernambucanos, ganhava força diariamente". Talvez ela tenha explicado a Thomas o que já sabia: as rendas eram drenadas para a capital, obras públicas e funcionários, abandonados ou demitidos, e nenhuma reforma implementada em nenhum departamento. O que ambos não sabiam é que havia um grande ressentimento contra Pedro, que recompensou e glorificava a atuação dos seus comandantes mercenários – como Thomas – em detrimento das forças locais que saíram em defesa do novo império.

Pernambuco estava dividido entre duas facções políticas: uma monarquista, liderada por Francisco Pais Barreto, e outra liberal e republicana, liderada por Manoel de Carvalho. A província era governada por Pais Barreto, que havia sido nomeado presidente por Pedro, de acordo com a lei promulgada pela Assembleia Constituinte, em outubro de 1823. Em dezembro, Pais Barreto renunciou ante a pressão dos liberais, que, ilegalmente, elegeram Manoel de Carvalho. Nem Pedro nem o gabinete foram informados da eleição e requisitaram a recondução de Pais Barreto ao cargo, algo que foi ignorado pelos liberais.

Dois navios de guerra, chefiados por John Taylor e enviados ao Recife para fazer a lei ser obedecida, não tiveram sucesso. Taylor partiu do Rio em março de 1824 e a 1º de abril convidava Carvalho a entregar o poder a Pais Barreto, sob pena de bloqueio a Recife. A junta, porém, decidiu conservar Carvalho à frente da província, enviando delegação ao Rio. Taylor ordenou então o bloqueio do porto. Os liberais recusaram-se veementemente a reempossar Pais Barreto e alardearam: "Morramos todos, arrase-se Pernambuco, arda à guerra".

Apesar do evidente estado de rebelião em que a cidade de Recife se encontrava, Pedro tentou evitar um conflito que considerava desnecessário e nomeou um novo presidente para a província, José Carlos Mayrink da Silva Ferrão, cuja esposa era uma rica pernambucana. Mayrink era proveniente da província de Minas Gerais, mas era ligado aos liberais e poderia atuar como uma entidade neutra para conciliar as duas facções locais. Entretanto, os liberais não aceitaram Mayrink, que, frustrado, retornou ao Rio de Janeiro. Os rumores de um grande ataque naval português obrigaram John Taylor a se retirar de Recife.

Manoel de Carvalho podia contar somente com Olinda para sua Confederação, enquanto o restante da província não aderiu à revolta. O líder organizou suas tropas, inclusive alistando, à força, crianças e velhos, sabendo que o governo central não tardaria a enviar soldados para atacar os confederados. Pais Barreto, por seu lado, arregimentou tropas para debelar a revolta, mas acabou sendo derrotado e permaneceu no interior da província à espera de reforço.

As tropas que vieram com Thomas desembarcaram em Maceió, capital da província de Alagoas, de onde partiram em direção a Pernambuco. As forças legalistas logo se encontraram com Pais Barreto e com quatrocentos homens que se uniram à marcha. Ao longo do caminho, as tropas foram reforçadas por milicianos, que aumentaram o contingente para três mil e quinhentos soldados. A maior parte da população de Pernambuco que vivia no interior, incluindo os partidários de Pais Barreto e mesmo os neutros ou indiferentes a disputas entre as facções, aderiu ao império.

Ao chegar em Recife, Thomas mandou apreender um navio que Carvalho mantinha escondido na ilha de Itamaracá, caso quisesse escapar. Ele também foi alvo de uma tentativa de corrupção que fez questão de registrar. Por escrito, Carvalho ofereceu-lhe quatrocentos contos de réis, sublinhando que ele "não tinha sido recompensado pelo governo imperial, pela primeira expedição, e não o seria pela segunda". Em troca do dinheiro, ele se bandearia para o lado dos republicanos. Seguiam-se insultos "em linguagem a mais indecorosa" sobre o imperador, segundo Thomas. Aliás, esse era o maior fantasma do Conselho de Estado, que considerava Thomas um mercenário inglês e potencial traidor capaz de trocar de lado por dinheiro.

Enquanto a situação evoluía, Thomas tinha fechado o porto e aberto o coração de Maria. Precisava dela. Ele sabia que, quando de sua primeira passagem por Recife, a inglesa conhecera os rebeldes pernambucanos. Thomas desejava uma urgente negociação, e ela seria a mediadora ideal. Com a tradicional fleuma britânica, intercederia nas tratativas de um armistício e da rendição do comandante dos confederados. Tiveram, então, longa conversa na qual Thomas demonstrou amabilidade fora do comum:

"19 de agosto de 1824. O almirante veio a bordo do paquete para almoçar comigo e ficou até onze e meia. Não se pode ser mais amável; mais do que costumava ser em Quintero." Seus argumentos: a revolução nascera de uma "incompreensão" pelo fechamento abrupto da Assembleia, havia gente que queria arrastar a província à anarquia. Mas explicava: "Se dessem um passo atrás, congregando-se ao redor do trono e capacitando o imperador a desfazer-se de toda a influência estrangeira [...] eu vos asseguro com sinceridade que nada me será mais agradável do que assumir o papel de mediador para impedir as perseguições, a efusão de sangue e a destruição".

A lábia funcionou, e ela não resistiu ao amigo escocês: aceitou a incumbência de mediar o acordo entre as partes. "Desembarquei à tarde e jantei na casa de campo de Ad. Stewart, depois do que procurei o presidente republicano Manoel de Carvalho, que fala bem inglês e parece ser um homem amável." Era o "moreno e gordo, de aspecto um tanto pesado" que ela já conhecia.

Por seu lado, Thomas blefava. Ele não dispunha de autorização do imperador para negociar propostas nem assegurar rendição segura aos confederados. Suas instruções limitavam-se ao desembarque das tropas do exército na vila de Jaraguá, no bloqueio do porto de Recife e no ataque por mar em caso de resistência dos rebeldes. Tais ordens específicas não o impediram de fazer ameaças ou propostas aos cabeças da revolta. Certamente, foi a falta de resultados que o fez apelar para Maria. O encontro revelou a disposição de ambos em relação ao Brasil. Por seu lado, Thomas já tinha entendido que seu contrato com o governo brasileiro na questão das presas e do dinheiro devidos seria uma batalha árdua, talvez perdida. Até deixar o Rio de Janeiro, sua correspondência com ministros e o próprio imperador só falava de pagamentos e soldos atrasados para ele, seus marinheiros e oficiais. Kitty o aguardava em Londres, e quanto mais rápido ele pudesse cruzar o Atlântico, melhor. Ele queria uma solução rápida para sua última tarefa na Marinha brasileira. Queria que a rendição dos rebeldes, ainda que feita por meio de promessas enganosas, lhe conferisse mais honrarias e importância. Finalmente, Thomas queria, sim, ser reconhecido como "salvador da integridade do império face à inépcia ministerial no trato da questão pernambucana" – nas palavras de um historiador.

Por seu lado, Maria, a viúva pobre, a caminho de tornar-se uma das domésticas da família imperial, via na operação a possibilidade de se valorizar. Governanta? Sim. Mas com o mérito de ter resolvido, pela diplomacia e *savoir-faire*, o problema em Pernambuco. Seus "apelos teriam evitado derramamento de sangue", como registrou. E a solução teria nascido de uma parceria com o admirável herói e marquês do Maranhão. O que não se diria bem dela na corte ou entre a comunidade inglesa do Rio?

Mal sabia Maria que o documento do qual era portadora era duvidoso e continha propostas que não podiam ser cumpridas. Nele, Thomas prometia a Carvalho que, caso se rendesse, ele poderia se retirar do império, junto com a família e haveres. Maria foi procurar o confederado em sua casa. Carvalho almoçava com treze ou quatorze membros do seu conselho quando ela chegou, sendo observada pela porta e pelas janelas. Afinal, viera num navio inglês, considerado neutro, mas sempre suspeito. Carvalho a recebeu na sala, cercado pelos presentes, para não ser acusado de comunicações secretas. Uma proclamação imperial de caráter severo havia sido espalhada pela cidade. Acreditava-se que havia sido redigida por *Lord* Cochrane, e causou grande alarme por causa da ameaça que continha, de bombardear a cidade e afundar jangadas carregadas de pedras no único canal pelo qual se penetrava no cais. A ruína do comércio seria inevitável. Ela registrou:

> *Disse-lhe que, não obstante a sentença previamente anunciada contra ele e seus partidários e as proclamações espalhadas pelo exército, estava certa de que, se ele confiasse no almirante e se rendesse logo a ele, poderia ter garantias à salvação e fuga de todos. Despedi-me, então, dele e prometi procurá-lo na manhã seguinte.*

Maria voltou a encontrar Carvalho a 20 de agosto. Ele já sabia da aproximação das tropas e das defecções entre seus apoiadores. Surgiram dissidências internas no movimento, pois ele agregava classes sociais díspares: fazendeiros, eclesiásticos, comerciantes, brancos, mulatos, pardos e negros livres e cativos. Sua proposta de libertar os escravos e o exemplo do Haiti, que recentemente se emancipara da França através de uma sangrenta revolta popular, não tranquilizava os senhores brancos, mulatos ou negros que possuíssem os seus. Seus aliados mudaram de lado e passaram a colaborar com o governo imperial.

Mais uma vez acolhida na sala do Conselho, Maria teria insistido em que não esperava negociar nada além do que estava previamente acordado com *Lord* Cochrane. Afinal, "não era da nossa conta saber a esse respeito mais do que aquilo em que pudéssemos ser úteis". Ela insistiu sobre o perigo que ele corria, de sua responsabilidade, e elogiou tanto Thomas que Carvalho – segundo ela – "mostrou-se profundamente impressionado com o caráter honrado do Almirante". Mas Maria se portou como simples mediadora. Ao final do encontro, Carvalho aproximou-se:

> *Já nos preparávamos para deixar a sala quando Carvalho se dirigiu a mim particularmente e disse que não estava certo de que, talvez, para o futuro, seus concidadãos não achassem necessário aceitar as propostas do Imperador, sendo uma das primeiras a sua entrega. Mas que era filho de uma mãe idosa e pai de duas filhas órfãs de mãe, e que suplicava, no caso de lhes faltar sua proteção, que empregasse qualquer influência que pudesse ter junto a Lord Cochrane para recomendá-las à sua misericórdia. Prometi isto prontamente, certa, porém, de que tal recomendação era completamente desnecessária, pois que talvez nunca tivesse havido comandante tão terrível para o inimigo antes da vitória, como tão misericordioso depois dela.*

Será que Maria teria acrescentado algo à proposta de Thomas? Ela teria se limitado a repetir o que Thomas mandou ou, com o temperamento arrojado que era o seu, acrescentara algo além dos elogios ao compatriota? Não há respostas. Só se sabe que, iludida, Maria seguia idolatrando seu herói. Sem confessar, o desiludido confederado se rendia. E numa carta posterior a Thomas, não se esqueceu de lembrar a mediadora, referindo-se às "instruções de Mrs. Graham para entrar em acordo". Carvalho queria ter certeza de que a proposta existia de fato.

Ainda descrevendo o encontro com Carvalho:

Recebeu-me com a maior polidez, mandou chamar a filha para ver-me e fez servir frutas e vinho. Deu-me mapas e planos e disse-me que dentro de um mês esperava ter tudo pronto. Olhei para algumas de suas tropas – meninos de dez anos e negros de cabeça branca. Carvalho queria a convocação da assembleia constituinte com os mesmos membros; que sua convocação se desse em qualquer lugar fora do Rio, longe das tropas imperiais, e arrematou: que ele estava resolvido a tornar o Brasil livre, ou morrer no campo de batalha [...] se visse perdida a sua causa, se poria nas mãos de Lord Cochrane e aí se julgaria seguro. Apresentou-me então às filhas. Considerei como delicadeza e sentimento a sua maneira de proceder.

Thomas e Maria voltaram a se encontrar a bordo do navio que a trouxera da Inglaterra. "Jantou e ficou comigo até as 4 horas. Dei-lhe os meus papéis e contei-lhe tudo o que vira". E concluindo sobre Thomas: "Ele é certamente o melhor dos homens". Com o peito cheio de admiração, ela o deixou poucos dias depois. Separaram-se sem apertar as mãos, trocaram algumas palavras banais e foi tudo. Ela manteve aquele encontro em tons do mais ameno cinza.

Nesse meio-tempo, aproveitou o contato com os amigos ingleses para tomar a temperatura do que ia na corte. Chocou-se com o sentimento generalizado de antilusitanismo e com a imagem de Pedro, futuro patrão: "Considera-se o imperador um joguete nas mãos de seu pai, e, portanto, português. Por causa disso, diversos pacíficos comerciantes portugueses foram mortos, e se qualquer deles, assustado, corre nas ruas, é tido como suspeito e perseguido, com poucas possibilidades de escapar".

Também não faltavam suspeitas sobre os ingleses. Quando seus navios ancoravam, em busca de reabastecimento, suas compras e frutas eram atacadas, pois o povo acreditava que vinham ajudar os "imperiais". A xenofobia revelava, por um lado, o repúdio ao antigo sistema colonial português e, por outro, o temor da concorrência da ativa vida industrial e comercial em curso na Inglaterra.

Por sua vez, focado na missão, Thomas simulou um bombardeio com morteiros que não tiveram efeito senão pelo barulho, e escreveu ao ministro da Marinha sobre o boato de que os republicanos estavam aguardando navios americanos que tinham adquirido. De fato, a Confederação do Equador formou uma pequena força naval para defender o porto de Recife, e Carvalho, o líder rebelde que tinha sido intendente da Marinha, armou um brigue de dezoito canhões, o *Constituição ou Morte*.

Thomas deixou Recife dizendo que "o espírito democrático dos pernambucanos não era coisa com que se brincasse". A província merecia toda a compreensão, pois fora prejudicada pela mesma cabala portuguesa que o perseguia. O povo se queixava de que melhor seria continuar como colônia portuguesa do que como colônia do Rio de Janeiro. Embora Thomas tenha tratado da situação com luvas de pelica, sua presença na cidade detonou violenta perseguição aos armazéns e comerciantes da ex-metrópole. Os gritos de "mata marinheiro" encheram a cidade.

A partir daí, Thomas se desinteressaria do bloqueio e viajaria com o *Pedro I* para a Bahia. Todo o crédito da vitória sobre os revolucionários, em 18 de setembro, pôde ser atribuído ao brigadeiro Lima e Silva e a David Jewett, oficial americano que comandou as forças navais, e ao capitão de fragata, o inglês James Norton, que desembarcou em Recife com quatrocentos homens da esquadra, durante os combates pela posse da cidade. No dia 12 de setembro, as forças imperiais entraram na cidade e, no Tesouro, foram encontrados os quatrocentos mil réis com que Carvalho tentara subornar Thomas.

Para além da carta que enviara, Carvalho tinha procurado Thomas pessoalmente. Queria entregar a província às autoridades imperiais em troca de anistia para civis e militares, exceto para ele, que partiria. Não o encontrou, mas, sob sua proteção, escapou numa jangada de pescador, refugiando-se numa corveta britânica que se fez ao mar. Ausência do *Lord*, pois, foi providencial. Afinal, a oferta que Thomas fizera através de Maria não passava de um logro. Os revolucionários que tentaram resistir foram mortos em batalha ou feitos prisioneiros. Dezesseis foram executados. O dinheiro chegou e os homens de Thomas foram pagos. Ele anotou cada despesa, defendendo-se de acusações de malversações feitas pela Marinha. Com a cidade sob o controle de Lima e Silva, Thomas seguiu para o Pará.

Não se sabe, porém, que sentimentos o levaram a escrever ao cônsul no Rio de Janeiro, Mr. Chamberlain. Na carta, afirmava não ter laços de amizade com Maria. Sublinhou que suas relações se limitavam a um transporte comum entre o Chile e o Rio de Janeiro e "que ela só lhe dera aborrecimentos". Para queimá-la mais ainda junto à pequena comunidade britânica, Thomas pediu a um médico amigo que intercedesse junto à compatriota para não o mencionar. As relações que estabeleceram no Chile e a fama de Maria poderiam prejudicar sua reputação. Maria não viu partir quem a usou e partiu seu coração. ☙

Maria e Leopoldina

No dia 2 de agosto de 1824, nascia a princesa Francisca Carolina. Para dar à luz, Leopoldina fez força, pendurada ao pescoço de Pedro. O bebê estava com os ombros deslocados, e o parto foi mais difícil que os outros. Mas "a coragem não me faltou e assim, tudo terminou em quatro horas" – ela contaria, em carta, ao pai. Os jornais apregoaram a chegada de uma criança "muito robusta, muito crescida e muito linda". Os pais, porém, estavam frustradíssimos. Queriam um menino.

No dia 4 de setembro, Maria anotou no diário: "Volto ao Rio após onze meses de ausência". Nem o frescor da brisa ou o verde da paisagem a impressionaram como da primeira vez. Sob o sol rutilante, através das pálpebras semifechadas, o azul profundo do céu e do mar pareciam negros. No peito e nas malas, tinha a certeza de estar trazendo todas as vantagens da disciplina e da cultura à princesinha Maria da Glória.

Foi informada de que o imperador pediu para ser avisado de sua chegada, mas em vez de esperar pelo barco imperial, que demorava, foi para terra com um amigo inglês. Ele ofereceu-lhe sua casa até que se instalasse no palácio. Deu-lhe também más notícias. Maria chegara contando perdas: José Bonifácio, exilado com a família, deixara o país, e João de Souza Coutinho, camareiro da imperatriz, fora levado por uma pneumonia aos 33 anos. João seria a pessoa a quem a governanta deveria se reportar. Formado em Coimbra, filósofo, homem fino e de qualidades, era, segundo ela, "meu melhor amigo no palácio".

As duas pessoas importantes que poderiam protegê-la não estavam mais. Nem esperou a bagagem chegar e dirigiu-se a São Cristóvão.

Qual não foi sua surpresa quando, ao chegar ao portão, encontrou Pedro vagando sozinho. Estava de chinelos, sem meias, calças e casaco leve de algodão listrado, e um chapéu de palha forrado e amarrado de verde. Parecia ter acabado de se levantar da sesta que fazia todos os dias, depois do almoço. Maria teve a impressão de que ele a estava esperando, embora fingisse que não. Apoiado na barra de ferro que conduzia à entrada principal do palácio, apresentou a mão para um *shake hands* à moda inglesa. Ingênua, Maria disse ter ficado "muito satisfeita" com a recepção. Cumprimentou-o pelo bom aspecto e foi perguntada sobre "enjoos de bordo". Depois dessa pequena atenção, ouviu dele que subisse à varanda, onde encontraria um camarista da imperatriz de serviço que a conduziria aos seus aposentos particulares. Ele entraria pela porta dos fundos, para avisá-lo de sua visita. O caminho que Maria foi obrigada a fazer levou muito mais tempo do que o atalho que Pedro tomou.

Maria encontrou Leopoldina sentada na antecâmara. A imperatriz, certamente orientada pelo marido, preferiu ser direta. Perguntou à inglesa se não tinha recebido, em Londres, sua carta. Diante da resposta negativa, explicou-lhe que a finalidade era adiar a sua vinda. E por quê? Pois desde a queda do ministério de José Bonifácio e o fortalecimento do grupo português, "o imperador se inclinara a dar ouvidos ao casamento de D. Maria da Glória com seu tio D. Miguel". Que ela própria não apreciava o projeto pelo parentesco próximo, ainda que, para portugueses e brasileiros, a consanguinidade não fosse um obstáculo, explicou Leopoldina. Ela sabia que a negociação levaria algum tempo e, por isso, resolveu induzi-la a esperar, uma vez que Maria da Glória teria que ir para Portugal, e Maria seria a melhor companhia na viagem, preparando-a para o papel que a menina assumiria.

Maria sentiu que o vento mudara de direção. Onde vira rosas, agora entrevia espinhos. Leopoldina deu a entender que seria difícil enviá-la à Europa depois que assumisse o cargo de governanta das quatro menininhas. Tampouco seu apartamento estava pronto, apesar das ordens do imperador. Ela foi despedida, com ordem de voltar no dia seguinte.

Ansiosa, voltou até mais cedo do que o horário marcado. Apesar de estar vivendo um período de profunda depressão, Leopoldina tinha delicadezas inimagináveis. Ao ser recebida numa sala com uma única cadeira, a imperatriz não se sentou enquanto Maria não arranjou outra para si. Para Maria, ela era "a mais gentil das mulheres". Pouco antes de ela deixar a imperatriz, Pedro entrou. Estava de bom humor e vestido para seu passeio da tarde. Ofereceu-se para subir com Maria para mostrar-lhe os quartos, honra que ela declinou. Mas perguntada sobre o que mais precisaria, ela lhe respondeu: muitas estantes para livros.

Nos primeiros dias no palácio, Maria não percebeu o estado de espírito da imperatriz. Aliás, ela sabia muito bem disfarçar seus sentimentos. E disfarçava, para evitar mal maior. Mas se abria com a irmã: "Graças a Deus recebi uma carta de ti, minha amada, depois de ter sido privada por uma eternidade deste único consolo. Chorei de tanta alegria." Depois de lhe agradecer umas musselinas que Luísa lhe tinha enviado da Itália e de dar notícias de seu último parto, ela pedia à irmã que não se deixasse enganar por suas brincadeiras, pois "garanto que não reconhecerias mais em mim tua velha Leopoldina. Meu caráter alegre e brincalhão se transformou em melancolia e misantropia. Posso falar com liberdade porque esta carta segue por uma via confidencial [...] não consigo encontrar ninguém em quem possa depositar minha plena confiança. Nem sequer meu esposo, pois para meu grande sofrimento, ele não me inspira mais respeito".

Pai de uma filha bastarda, Pedro não escondia mais sua paixão pela favorita. Os rumores escorriam da rua para o palácio, enquanto ele lhe endereçava bilhetes: "Domitila, minha imperatriz do coração. Desde que pus meus olhos na tua formosura quis ser todo e sempre teu. Queres, divina augusta de meu pensamento?". E fazia-lhe versos de pé-quebrado. Nesse mesmo mês de setembro, ao tentar assistir a uma peça num teatro que só admitia associados, Domitila de Castro foi impedida de entrar. Furioso, o amante mandou fechar o local. Para evitar desconfianças, Domitila contou a Leopoldina que era leprosa.

Maria não viu mais Pedro até ir morar em São Cristóvão. No dia em que se apresentou, foi conduzida aos seus aposentos por Plácido Antônio Pereira de Abreu, conhecido como "Barbeiro". Pessoa de baixa extração, mas amigo de Pedro muito antes da chegada de Leopoldina, envolveu o então príncipe em negócios escusos, com a venda de cavalos que não lhe pertenciam. Mas havia granjeado a estima do imperador, a ponto de este ter lhe confiado o Tesouro da Casa Real. Todos os pagamentos passavam por suas mãos, inclusive os das damas. E ele era quem administrava os servidores da casa e da cozinha. O Barbeiro iria controlar Maria. Ele não lhe ofereceu nenhum criado senão um aguadeiro cujo serviço era levar-lhe água duas vezes por dia e mediar a compra de guloseimas, vendidas por quituteiras à porta do palácio. Maria levou "sua própria negra".

E Maria registrou: "Encontrei meus apartamentos bem no alto da ala ocupada pela imperatriz e sua filha mais velha. Moravam elas no andar mais alto (antes do sótão). Ocupava eu o sótão que ficava sobre os quartos de D. Maria da Glória [...] Nunca esquecerei o prazer de minha primeira manhã, quando, abrindo minhas janelas, em vez do barulho e do sujo da cidade deparei com os lindos jardins do palácio e as plantações de café que revestiam as montanhas da Tijuca, senti o aroma das flores de laranjeiras, trazidas pela brisa matutina". Um corredor separava de um lado o quarto de Maria, de sua criada e uma pequena cozinha. Do outro, uma pequena sala de jantar, duas salas de estar para as aulas e um terceiro cômodo, coberto de estantes.

Ao chegar, Maria se viu cercada pelas damas do Guarda-Roupa e pelo Barbeiro. Com Ana, abriu lentamente seus baús. Mostrou-se adequada e respeitável. Choveram críticas sobre a modéstia de sua indumentária, pois apesar de ser viúva e estar obrigada a usar preto fora de casa e branco, dentro, as portuguesas não apreciaram as sedas lisas, cambraias e musselinas. Queriam fitas, rendas, cetins. "Salvei minha honra, contudo, com a forma de um chapéu que foi copiado em cinquenta tons diferentes antes do fim de uma semana" – ironizou a inglesa, para quem sobriedade rimava com elegância.

"Alegraram-se também com algumas gravuras que eu havia tido tempo de enquadrar no Rio e que pendurei em vários quartos: chegaram a gritar de alegria ao ver uma Assunção da Virgem, que declararam ser um presságio de boa sorte, pois havia sido por causa delas que minha aluna mais velha, Dona Maria da Glória, havia recebido esse nome. Quanto ao erro de confundir o Retrato de Rafael com o Arcanjo Rafael foi por demais interessante para que eu o corrigisse" – zombou novamente.

"O último caixote que pude abrir diante deles, já que a imperatriz se aproximava – e eu confesso que escolhi maliciosamente –, foi um pacote contendo um par de globos Cary de dois pés, lindamente montados – eles marcavam latitude, longitude e constelações – [...] e alguns instrumentos para fazer observações sobre o tempo e o clima [...] Os gritos de 'Maravilhoso! Maravilhoso!' só foram interrompidos pelo ruído dos cavalos do imperador." Os livros foram arranjados nas estantes com a ajuda de Ana, "antes que pudessem ser vistos" pelos demais.

Maria foi oficialmente apresentada a Maria da Glória em cerimônia oficial, nos apartamentos de Leopoldina. Cacarejando, membros da corte estavam presentes, especialmente os que pertenciam à casa da princesa. Em voz alta, porém em tom delicado, Pedro desejou que ela tivesse gostado dos quartos, que o Barbeiro lhe tivesse ajudado com as bagagens e, em tom mais alto para que todos ouvissem, entregou-lhe uma carta afirmando que, dali em diante, Maria teria a absoluta direção de tudo o que se referisse às princesas, "moral, intelectual e fisicamente".

A princesa Maria da Glória, por sua vez, mostrou-lhe seus aposentos, e depois que Maria beijou-lhe as mãos seguindo o ritual, a menina pulou em seu pescoço, beijando-a e "pedindo que gostasse muito dela". Maria tinha bastante experiência de vida para perceber que, por baixo da mais alta posição que pudesse ocupar, as armadilhas pululavam. Quem as armaria? O Barbeiro. E não demorou muito. Maria contou que, na manhã seguinte, "quando fui para os apartamentos da Princesa, encontrei as criadas lavando-a, não no banheiro, mas numa sala aberta, por onde passavam escravos, homens e mulheres e onde a guarda da imperatriz sempre estacionava. Não pude achar direito que ela fosse assim exposta, completamente nua, aos olhos de todos os que aparecessem". Maria reclamou: "As criadas recusaram-se a mudar essa prática imprópria até que eu obtivesse uma ordem escrita do Imperador, dizendo que era muito difícil usar o banheiro". Ele preferiria a filha pelada na frente de todos?! Maria também implicou com a dieta da menina. Um almoço à base de coxa de galinha em alho e óleo, um copo de vinho misturado com água e depois café, torradas e doces. Queixou-se a Leopoldina. Em vão. Já com as aulas obtinha maior satisfação. A pupila falava francês e recitava as fábulas de La Fontaine.

"Nunca esquecerei seu enlevo quando descobriu que as mesmas letras que lhe permitiam ler francês serviriam para o português. A princesinha vibrou com os poemas do livro *Little Charles*, e se deliciava em passar tardes na sala de livros, procurando figuras. Mostrava às damas a diferença entre os mapas de Brasil e Portugal, revelando uma criança viva e inteligente. Tinha, contudo, temperamento difícil. Acostumara-se a bater em pequenos escravos e na filha de uma dama da corte que iam brincar com ela. Uma tiranazinha indiferente", registrou Maria, que, ao falar com a mãe da menina, para que juntas coibissem esse costume impróprio, ouviu "que ela preferia dar morte a um filho que não julgasse uma honra receber uma bofetada de uma princesa".

Leopoldina tinha pouco poder sobre as atividades de suas meninas. E querendo educá-las à moda europeia, com interesse por botânica e jardins, havia encomendado pequenos jogos de ferramentas que eram mantidos fora de uso. Isso porque, como diziam as damas, "não ficava bem que as princesas ficassem remexendo a terra suja como os negros". Apesar da proibição, Maria as levava para correr no jardim, colher flores e observar insetos sem gritar e até mesmo sem sujar as roupas.

O cotidiano no palácio era imutável. A ala em que dormiam Maria, Leopoldina, as princesas, criadas e agregadas era rigorosamente fechada à chave às 21 horas, quando Pedro saía para encontrar Domitila. Os pequenos fogões montados à porta de cada apartamento funcionavam até tarde, inundando o ambiente do cheiro de óleo e alho que fazia Ana exclamar: "Como é gostoso, senhora!". Ao nascer do sol, ouvia-se a voz de Pedro gritando aos colonos e escravos para a revista. Preocupava-se com a saúde deles. A seguir, ele e Leopoldina saíam para o "passeio da manhã". Iam ao cais, ao Arsenal, passavam horas inspecionando barcos. Visitas ao Jardim Botânico ou às repartições públicas serviam para variar a agenda. Na volta, almoço, cada qual em seu canto.

Maria comia da cozinha que servia Pedro, cujo paladar não era exatamente delicado: toucinho, couve, arroz, batata-doce ou inglesa, sopa, tudo regado a alho e pimenta. Sucediam-se empadões recheados de miolos, carne de porco, galinha ou fígado. A carne era tão dura "que poucas facas poderiam cortá-la", queixou-se a apreciadora de macios *roast beefs*.

Nessa época, Leopoldina escreveu à irmã que achava ter encontrado em "*Lady* Graham" uma boa educadora para Maria da Glória: "Queira Deus que a avessa mentalidade daqui e a polícia palaciana não se oponham, afugentando essa boa mulher". Mas já era tarde. A "boa mulher" estava sofrendo pressões de todos os lados. No palácio, Maria tinha que dedicar uma atenção bem-educada a pessoas de quem não gostava, como o antigo professor de francês, padre Boiret, protetor dos amores de Pedro com a amante. Havia uma incompatibilidade tão grande entre ela e as damas e criadas portuguesas, que qualquer falta era ampliada. E Maria tinha a sensação de ser permanentemente afrontada. Sua distinção e mérito eram solenemente ignorados.

Além disso, ela percebia o sofrimento camuflado de Leopoldina para suportar uma relação deteriorada com Pedro. Sofrimento agravado pelo comportamento dos cortesãos do partido português, que, segundo Maria, sempre haviam lamentado o casamento do Chefe da Casa de Bragança com uma "estrangeira". Por que não com uma prima ou tia, como era costume invariável em Portugal? Leopoldina era hostilizada por todos os que gozavam da cumplicidade do Barbeiro e também dele próprio, que, para sua infelicidade, era o responsável por seus pagamentos. Como Leopoldina previra, a chegada de uma segunda "estrangeira" só aumentou os ciúmes do séquito feminino. Por que, afinal, uma dama portuguesa não era boa o bastante para educar a princesa?

Depois do almoço, Pedro retirava-se para descansar, e era durante suas sestas que Maria tinha o prazer de conversar com Leopoldina.

"No início, ela costumava me chamar aos seus aposentos. Mas como ali não podíamos permanecer sem alguns acompanhantes, e a familiaridade com que ela me tratava excitava ciúmes violentos entre as damas, ela preferiu, depois de três ou quatro dias, que eu permanecesse depois de almoçar em meu próprio quarto até que ela pudesse me procurar [...] é possível entender [...] que Dona Maria Leopoldina, não tendo damas de sua nacionalidade ao redor [...] tenha se aproveitado avidamente da possibilidade de conversar em uma linguagem mais familiar com uma pessoa que podia pelo menos tratar de assuntos de interesse europeu" – anotou Maria.

A inveja era alimentada pelos ares de superioridade e até de educado desprezo com que Maria registrava os costumes desses cortesãos. Com eles, ela se mostrava tão fria quanto cautelosa. Não emitia suas verdadeiras opiniões. Envolta num manto de polidez, parecia determinada a não se arriscar de modo algum. Era desagradavelmente reservada. Sua cautela, porém, foi inútil.

A gota d'água foi Maria ter proibido que o Barbeiro subisse com amigos para jogar cartas na antecâmara da princesa. Quando ela contou isso à Leopoldina, esta a elogiou, agradeceu, mas balançou a cabeça dizendo que, dali em diante, "eu devia ver toda a cambada como inimiga jurada". Não se sabe se Maria teria percebido alguma mudança na imperatriz. Mas três semanas depois da chegada da governanta, ela escrevia à irmã:

> *Infelizmente, não posso deixar de ouvir e ver muitas coisas que, com minha mentalidade e princípios austríacos, desejava que fossem diferentes [...] faz algum tempo, vi acontecerem coisas nunca imaginadas pelo pensamento humano [...] o que me irrita um pouco é que descansei vinte e quatro dias e estou novamente em estado interessante, o que não é muito agradável.*

Apesar da existência de Domitila e da vida infernal que Pedro lhe impunha, Leopoldina tinha deveres conjugais a cumprir. E ele queria consolidar sua posição no trono imperial brasileiro com um herdeiro, no momento em que tentava assegurar o de Portugal para Maria da Glória.

Foi nesse ambiente de tensão que Maria deu a primeira escorregadela que a levaria, aos trambolhões, para fora do palácio. Um dia, durante um passeio de carruagem com sua aluna, Maria deixou que a princesa, brincando, se sentasse ora à sua direita, ora à sua esquerda. Quando as servidoras da princesa observaram que tal comportamento de uma "criada do palácio" ia contra a etiqueta, Maria abespinhou-se e respondeu que não concordava. Passados alguns dias, Maria da Glória ficou de cama com a perna inflamada por uma mordida de inseto. O pai ia vê-la, e Maria se impressionava em ver as damas e amas tomando-lhe as mãos para devorá-las de beijos. Ela se limitou a ficar de pé ao lado da cama, pois não lhe parecia que tal cerimônia fizesse parte de seus deveres. Erro. Quando o imperador saiu, os mexericos choveram. Quanta audácia da estrangeira em não demonstrar respeito pela Casa de Bragança, beijando a tão querida mão! Tanto se falou sobre o assunto, que Maria resolveu consultar Leopoldina. E esta: "Em Roma, como os romanos". Na segunda visita, Maria tentou fazer como as portuguesas, mas Pedro arrebentou de rir, preferindo sacudir-lhe a mão no tradicional

shake hands, dizendo: "Esta é a boa maneira inglesa de dizer bom dia!".
O bom humor e a reação do imperador lhe foram prejudiciais.

O caldo entornou no aniversário do imperador, dia 12 de outubro.
Era costume que as amas-governantas de D. Maria da Glória compareçessem à corte, nesse dia, em traje de gala: vestido de cetim branco bordado, com cauda de cetim verde, e plumas verdes e brancas na cabeça. Junto ao trono e à princesinha, não desejavam absolutamente que Maria compartisse com elas tal honraria. Mal sabiam que ela tinha estipulado que ficaria livre nos dias de gala, para passá-los com seus amigos ingleses, franceses, russos ou americanos. As portuguesas tudo fizeram para descobrir se a inglesa tinha encomendado roupa de baile e, diante do mistério, resolveram abordá-la: não gostaria de um vestido emprestado? Maria respondeu que "não pretendia ter uniforme, porque, não sendo Criada do Paço, se quisesse ir ao beija-mão, iria com seu vestido à moda inglesa".

Ela não ouviu o zumbido das varejeiras, e sua resposta pôs todos os seguidores dos Bragança em estado de guerra. Na manhã seguinte, iniciaram a retaliação contra aquela que não se considerava uma "criada doméstica" e que rejeitava a servidão no Palácio Imperial. Ao descer para reunir-se à princesa, encontrou a menina tristonha e as amas e damas, carrancudas. Depois do almoço, como por encanto, todas desapareceram, deixando Maria sozinha com Maria da Glória. Daí a pouco, ela quis um lenço e Maria não tinha a quem chamar. Apenas quando a princesa deu ordens a um oficial de guarda apareceu uma criada. Quando esta chegou, Maria perguntou-lhe o porquê daquela ausência generalizada quando as ordens do imperador eram outras. Ouviu a resposta malcriada: bastava uma, e ela, a criada, estava olhando para a mais "indigna" delas. E cuspiu no chão. Maria reagiu: que a criada ficasse no seu lugar até a chegada da imperatriz.

A situação só piorou, pois quando chegou o jantar da princesa, não apareceu ninguém para pôr a mesa, lavar-lhe as mãos e trazer-lhe o bife. Não havia talheres. A criança tinha fome e começou a chorar. Em busca de socorro, Maria passou pela sala de jantar das outras princesinhas. Para seu espanto, não só as meninas estavam jantando na companhia de suas amas, mas as outras criadas de serviço de Maria da Glória, junto com várias da imperatriz, a velha ama de Pedro e o Barbeiro encontravam-se reunidos, conspirando. O impasse se resolveu apenas porque chegou a notícia de que o casal imperial estava voltando para casa.

Era impossível Maria não perceber que sua cabeça estava a prêmio. Em choque, tentava escrever uma carta para Leopoldina, encaminhando regras para as criadas, quando ouviu o ruído de suas botas de montaria, na escada. E contou:

> *Seus olhos estavam vermelhos de chorar, e, após ter me beijado com muito afeto e me ter chamado "caríssima amiga", pôs-me na mão um papel escrito pelo próprio Imperador – a tinta ainda estava úmida – ordenando-me que me confinasse no meu próprio apartamento, a não ser quando fosse chamada a dar a lição de inglês à princesa, ou passear com as irmãs pelo jardim. Era demais. Meu ânimo, esgotado pelas desagradáveis ocorrências do dia, foi completamente ultrapassado; sentei e chorei tão sinceramente quanto a Imperatriz.*

Maria chorou lágrimas de impotência. Leopoldina a consolava: sabia de sua inocência e da futrica inventada no quarto das princesinhas especialmente para irritar Pedro. Maria, entre perdida e ingênua, como se lhe restasse alguma coisa a fazer, perguntava-se: que passo dar? E argumentava: era impossível exercer a função de governanta que lhe fora determinada a menos que fossem tomadas medidas de apoio e segurança. E com superioridade, declarava que, não fosse sua amizade por Leopoldina, nada a tentaria a ficar num lugar onde seu caráter e serviços eram tão mal apreciados. E comparando-se à imperatriz: "Ela deveria estar tão sentida quanto eu poderia estar". E criticando, sem cerimônias: "Que exceto as horas agradáveis que ela me permitia passar em sua companhia, minha vida havia sido a de um prisioneiro de Estado, ainda submetida a todas as espécies de insolências por parte de pessoas da mais baixa extração".

Maria sabia perfeitamente que a situação de uma governanta não era diferente da que se propôs a assumir. Mas seus argumentos revelam o sentimento de superioridade que experimentava em relação à corte e uma ponta de arrependimento pela escolha que havia feito. Deveria ter ficado na Inglaterra. Pagava o preço por sua ambição.

Leopoldina prezava sua companhia, mas jamais iria contra Pedro. Amava-o, e aos filhos. Só esperava ter forças para suportar sua sina, que era a de se afastar de quem queria bem. Consolou-a, sem oferecer uma saída. Havia encorajado Maria em tudo o que podia, mas... agora, seus "inimigos" estavam utilizando "uma influência secreta". Que seu apoio tornaria pior a situação de Maria. Que o melhor seria que ela deixasse o palácio. Combinaram que Maria pediria demissão ao imperador. Leopoldina foi a portadora da carta:

> *Senhor.*
> *É com sentimentos indizíveis que recebi a ordem de hoje, assinada por Vossa Majestade Imperial. Não deveria nunca ter deixado a Inglaterra, nem uma família honrada naquele distinto país, para ser uma simples professora de inglês! Se não sou a governanta das Imperiais Princesas, nada tenho que fazer neste país. A pessoa honrada com o título e o emprego de governanta em tal família deveria ter sido garantida contra as impertinências que encontrei desde que estou aqui. Nunca me submeterei a elas. Quanto a mim, não tenho amor próprio, mas, quanto às minhas alunas, havia uma necessidade absoluta de não ser eu tratada como uma criada. Peço com empenho que Vossa Majestade me conceda licença para retirar-me. Deixarei o Brasil para sempre pelo primeiro navio que partir.*

Maria caíra numa armadilha. Em torno dela se formara, por um lado, uma rede de pequenas hipocrisias, e, por outro, uma de pequenas delações. Arrasada, Leopoldina voltou com a permissão de saída e a ordem de que Maria entregasse, "sem mais demora", todas as cartas trocadas com o imperador: a de nomeação do cargo e a de promessa de salário. "Se eu tivesse tido um momento de reflexão, não me teria desfeito daqueles documentos. Mas o que poderia fazer? A imperatriz, que eu realmente estimava, estava em lágrimas, e compreendi claramente que ela temeria alguma impolidez se não levasse tudo o que tinha sido pedido. Dei-lhe, assim, tudo, e afinal, creio que fiz bem".

Maria fez mal. E, mais tarde, iria se arrepender amargamente.

Começou a guardar as roupas. Abriu os baús, e Leopoldina voltou para ajudá-la. Pediu-lhe que deixasse alguns livros para as filhas e se ofereceu para comprar os globos terrestres. O que se seguiu foi ainda mais humilhante. Maria não tinha podido avisar seus amigos, nem tinha transporte para sair do palácio. Perguntado, o Barbeiro respondeu à imperatriz que nenhum transporte estava disponível. Todos ocupados. Ela soube, também, que ele e sua "súcia" tinham se divertido com a ideia de ver Maria saindo a pé, para o Rio, com a preta Ana carregando uma trouxa, em meio à tempestade que se aproximava. Leopoldina argumentou que mandaria Maria em seu próprio carro. O Barbeiro respondeu-lhe que não havia cavalos.

A pobre mulher, exasperada, levantou a voz e disse-lhe que usasse até seus próprios cavalos de montaria. Pedro, que tudo ouvia, saiu do quarto furioso. Não se sabe se arrependido do gesto com Maria, ou envergonhado pelo tratamento que era dado à pobre Leopoldina, o imperador reagiu. Ordenou ao Barbeiro que fosse imediatamente cancelar a licença que tinha dado a uma das damas de usar o carro de D. Maria da Glória e que o deixasse, por uma semana, à disposição da inglesa. Ordenou também um barco ou uma carroça, à escolha de Maria, no qual seguiriam os baús e malas junto com um carpinteiro para organizar a embalagem.

Liberada pelo marido do passeio que faziam à tarde, Leopoldina voltou ao quarto de Maria, onde "usou suas pequenas e brancas mãos para embrulhar livros e roupas, ocupando-se de tudo o que podia". Enviou, também, uma sua criada com cartas aos amigos ingleses de Maria, pedindo-lhes que lhes arranjassem um quarto, para o dia seguinte.

Mas o que teria detonado o mau humor de Pedro com a presença de Maria? A versão que chegou à desconsolada governanta, destilada por sua amiga, viscondessa de Rio Seco, é a de que certa D. Maria Cabral, a mais bem-nascida das damas da princesinha, teria irrompido no quarto do imperador, enquanto esse ainda descansava. Ele detestava ser acordado. A mulher apresentou-se com os cabelos decompostos, em lágrimas e soluçando violentamente. Cacarejava: "Se era justo e direito que aqueles que tinham deixado suas famílias e felizes lares em Portugal para acompanhar a família Bragança através do terrível oceano, para viver numa terra que não prestava senão para macacos e negros, pudessem ser tratados como criados, enquanto estrangeiros que não tinham ligação com a família real [...] pudessem ser tratados como grandes personagens e ter permissão para dar ordens aos velhos aderentes da Família?!".

"Que ela saia do paço imediatamente", reagiu Pedro, que mandou chamar Leopoldina para levar, em mãos, o recado à sua favorita. Ao entregar a carta, a imperatriz ainda recomendou a Maria que não comesse da ceia regularmente enviada. Já tinha perdido um secretário por envenenamento e não queria que ela fosse a próxima vítima. "No dia seguinte, correu ao meu quarto por alguns minutos antes do seu passeio, e foram muitas as lágrimas derramadas dos dois lados." Ficou combinado que Maria a avisaria de qualquer dificuldade e que ela contasse com "a proteção e justiça do imperador" – registrou Maria.

Antes que o casal voltasse do seu passeio matutino, ela abandonava São Cristóvão sem olhar para trás. Teve o cuidado de deixar para a imperatriz uma lembrança: um pacote com livros. Embora machucada, sabia que não podia fechar portas. E lia a carta que tinha entre os dedos:

Minha querida amiga!
Recebi vossa amável carta e crede que fiz um enorme sacrifício separando-me de vós. Mas, meu destino foi sempre ser obrigada a me afastar das pessoas mais caras ao meu coração e que estimei. Mas ficai persuadida de que nem a terrível distância que em pouco vai nos separar, nem outras circunstâncias que prevejo ter de vencer, poderão enfraquecer a viva e verdadeira estima que vos dedico e que procurarei sempre, com todo o empenho, as ocasiões de vos provar. Ouso ainda renovar-vos meus oferecimentos, se é que vos posso ser útil. Aceitando-os, vireis ao encontro dos meus desejos e contribuireis para me fazer feliz. Assegurando-vos toda a minha estima e amizade, sou vossa afeiçoada, Maria Leopoldina.

As palavras eram importantes, pois tanto Maria quanto Leopoldina sabiam que o Barbeiro nunca pagaria a quantia devida pela estadia no paço, nem acertara a quantia gasta com o material didático que ela trouxera da Inglaterra. Leopoldina ofereceu-lhe dinheiro, que Maria recusou. Por orgulho ou por saber das dificuldades financeiras da imperatriz, ela cometeu outro erro contabilizado mais à frente.

Pobre Maria. A lista de desgraças não tinha acabado. Mal chegara à casa onde ficaria hospedada, um mensageiro veio lhe informar que todos os seus bens e móveis, salvo a cama, estavam apreendidos na alfândega. Coisa do Barbeiro! Na mesma hora, enviou uma mensagem a Leopoldina. E já na manhã seguinte tinha a resposta:

"Minha caríssima amiga. Fiz saber ao Juiz da Alfândega que vos remetesse vossas malas e que ele havia obrado muito mal e contra todas as leis que garantem a propriedade particular [...]. Assegurando-vos toda a minha amizade e estima. Maria Leopoldina". Ainda mandou dinheiro para Maria por meio de seu secretário. Em carta escrita no mesmo dia ao seu "único amigo nesta América horrível", o "caro Flach", Leopoldina pediu a seu secretário que tivesse "a bondade de ajudar Madame Graham em tudo que ela vos pedir em meu nome. Ela é nossa irmã e, além disso, uma senhora boa e gentil. Uma terrível intriga me priva dessa amiga e da única pessoa que seria capaz de educar bem minhas filhas". E a seguir, que arranjasse "um conto de réis" e o entregasse à Maria, que, ao contrário da negativa anterior, aceitou.

Para si mesma, Maria construiu uma interpretação sobre a aventura que terminou tão mal. Uma versão para além das fofocas da "canalha". Para sua "honra", ela teria sido colocada no papel de "intrigante política". Quase uma espiã. E teve essa versão difundida não só entre os portugueses, como entre seus conterrâneos. Maria não se dava conta do quanto seus modos e afetação tinham-na afastado da colônia inglesa. Para os portugueses, ela olhava com desprezo. Mas para os ingleses, que ela não considerava do mesmo nível que o seu, também. Era assumidamente antipática aos olhos dos dois grupos, o que permitiu que os rumores crepitassem. Tudo o que se cochichava em torno dela, as sujas e deformantes tagarelices da corte não a atingiam. E Maria não se reconhecia nelas. No entanto, os murmúrios escapavam do palácio como de uma colmeia onde zumbissem abelhas.

Houve, porém, outras razões para a explosão de Pedro. Na época, a Inglaterra, grande fornecedora de produtos manufaturados ao país, tinha iniciado tratativas duríssimas sobre o reconhecimento da independência do Brasil. Apesar de seu interesse em reconhecer logo a emancipação, era tradicional aliada de Portugal e não pretendia entrar em atritos com Lisboa. Assim, o governo inglês assumiu a posição de mediador entre o Brasil e Portugal, buscando um acordo que satisfizesse a Casa de Bragança e permitisse o reconhecimento do jovem império.

As negociações tinham começado e iriam se estender por quase três anos entre Londres, Lisboa e Rio de Janeiro, contando sempre com a orientação do diplomata inglês George Canning.

E tinha, ainda, outra pedra no sapato de Sua Majestade. O governo britânico queria acabar com o tráfico de escravos, executado por comerciantes que apoiavam a independência e por senhores que precisavam de cativos para suas plantações. Os britânicos pressionavam, não apenas para atender a opinião pública ou por razões puramente humanitárias, das quais Maria era digna representante. Mas, como o próprio Canning mencionava em seus despachos, havia importantes interesses econômicos. A proibição inglesa do tráfico para suas colônias nas Antilhas, produtoras de açúcar, ocasionou a diminuição da mão de obra e, consequentemente, o encarecimento do açúcar ali produzido. O açúcar do Brasil, beneficiado pela manutenção do tráfico e pelo uso de escravizados, obteria preços mais baixos no comércio internacional, e as colônias inglesas seriam prejudicadas. Maria não exercia o papel romântico de espiã que se atribuía, mas, por ser inglesa, representava uma parte das preocupações que tiravam o sono do imperador.

Maria conhecia o ambiente da corte e o temperamento de Pedro, capaz de oscilar da grosseria às delicadezas. E teve a oportunidade de dourar seu brasão, num encontro casual que tiveram poucos dias depois de ter deixado São Cristóvão. Passeava a cavalo com um almirante francês, comandante da Estação Naval no Brasil, Jean Baptiste Grivel, quando, numa curva da estrada, surgiu a "cavalgada imperial". Os homens desmontaram e se descobriram, enquanto o grupo passava por ela. E ela ouviu o grito de Pedro a Leopoldina: "A mulher a cavalo é a Madame!". Ele voltou, desmontou, tirou o chapéu e estendeu-lhe a mão. Conversou com Maria por alguns minutos. A gentileza dispensada na presença de seu numeroso séquito deu a Maria condições de "contraditar algumas das muitas e absurdas narrativas relativas à causa de minha saída do palácio". E a certeza de que, considerada como estrangeira, ela teria a proteção dele. Como dizem os ingleses, *wishful thinking.* ∿

Thomas

Enquanto Maria passava maus bocados no Rio de Janeiro, Thomas estava no limite máximo de sua desconfiança com as autoridades brasileiras, e acreditava que Pedro estivesse cercado por portugueses, que maquinavam o tempo todo contra os ingleses da Marinha. Em carta, registrou: "Se eu, nesse tempo, tivesse conhecido quanto era a influência e o latente poder do partido português no Império, nem todas as chamadas concessões feitas por (José Bonifácio de) Andrada me houveram induzido a aceitar o comando da Marinha brasileira; porquanto o contender com facções é mais perigoso que entrar em combate com um inimigo, e uma luta de intriga era igualmente estranha ao meu natural como ao meu desejo".

Mas pressionar para receber o valor integral das presas era uma coisa; mudar de lado em meio a uma operação militar, como lhe foi sugerido em Recife, era totalmente inaceitável e, principalmente, desonroso. Firme nas suas convicções de lealdade e honra, inclusive no compromisso com seus comandados, ele não cansava de reunir argumentos para fazer valer o contrato feito com o imperador: "Mas, Senhor, perguntarei a tão miseráveis estadistas, qual seria a situação do Brasil se, aos oficiais a gente do mar estrangeira tivesse recusado entrar no serviço – como teria sucedido, a não ser ter prometido dinheiro de presas? [...] A guerra militar assolaria ainda o interior, e a frota hostil estaria agora ocupada em bloquear o próprio Rio de

Janeiro. Não seria melhor que o Governo tivesse de pagar o valor destas presas, mesmo em dobro, do que o terem deixado calamidades tais de evitar-se?".

Seus problemas com o Ministério da Marinha eram evidentes, e não faltaram jornais, como o liberal *A Malagueta*, a alertar sobre os riscos de ficar sem os serviços do "sisudo e bravo inglês que sem vergonha nossa não poderá ser despedido do serviço do Brasil". Já *A Abelha do Itacolomi* falava em boatos e rumores sobre uma misteriosa campanha que levaria seiscentos marinheiros estrangeiros ao Norte do império, onde não faltavam "elementos de discórdia nem malvados ambiciosos" e onde, diante "da simples presença de *Lord* Cochrane, tudo ficará em sossego". Reproduziam-se diretamente as transcrições do *Spectator* sobre o fato de *Lady* Cochrane ter sido recebida por Sua Real Majestade e obtido a reintegração de Thomas, com direitos e honras, à ordem do Banho. Alerta para o império: seria Thomas chamado a reintegrar suas funções na Royal Navy? E o que fazer "sem um varão tal como *Lord* Cochrane?". Quando a Marinha precisava de "gênios transcendentes" que lhe dessem direção, como viver sem ele? A partida da esquadra portuguesa da Bahia, às pressas, era contada e recontada em vários folhetins, para valorizar sua fama e o temor que despertava nos inimigos.

No dia 10 de outubro de 1824, Cochrane chefiou uma nova expedição naval, formada por cinco navios, tendo a nau *Pedro I* como capitânia. Essa missão foi importante para pôr um fim aos últimos sinais de revolta nas províncias do Rio Grande do Norte, Ceará e Piauí. As notícias continuavam a chegar aos jornais da corte:

> *O nosso bravo primeiro Almirante tinha chegado ao Pará, restituindo a paz, boa ordem e sossego em todos os pontos do litoral setentrional do Império, fazendo respeitar por toda parte a autoridade de Sua Majestade o Imperador. Parece, de resto, que o entusiasmo e a gratidão das Províncias livradas do duro jugo demagógico não foram estéreis para o nobre* Lord, *pois se apressaram em fornecer-lhe não somente todos os víveres e mantimentos necessários para abastecer os seus navios, como também o dinheiro preciso para o completo pagamento das tripulações de sua esquadra.*

No dia 3 de novembro, o almirante tomou o rumo do Maranhão, pois a crise política tinha se agravado. Esse retorno foi o último capítulo da sua estada no Brasil. O pretexto? A pacificação da disputa armada entre o presidente Manoel Ignácio Freire, Bruce e a oposição. Pelo menos, foi isso que Thomas alegou em carta enviada ao ministro da Marinha, em 31 de dezembro. Ele planejava retirar Bruce do governo e enviá-lo à corte para explicações. O cargo seria ocupado pelo secretário da Junta, Manuel Teles Lobo, com o total apoio do Rio de Janeiro.

Na corte, o *Diário Fluminense* comemorava a pacificação do Ceará e Pernambuco, dizendo "agora só falta o Maranhão". Era de esperar que a província entrasse nos eixos "debaixo das ordens de *Lord* Cochrane". Afinal, ele era desses oficiais que faziam seus homens obedecerem a ordens sem se perguntar ou saber por quê. Porém, é pouco provável que a política interna da província tenha sido a única razão da presença de Cochrane em São Luís.

No dia 1º de janeiro de 1825, ele mais uma vez apresentou sua renúncia ao imperador:

> *[...] percebendo ser impossível continuar no serviço de Vossa Majestade Imperial, sem a todo instante sujeitar o meu caráter profissional a grande risco sob a presente administração dos negócios marítimos – confio que Vossa Majestade achará graciosamente por bem conceder-me licença para me retirar do seu Imperial serviço, no qual me parece ter agora já feito quanto se podia esperar de mim – achando-se a autoridade de Vossa Majestade Imperial estabelecida por toda a extensão do Brasil.*
> *Tenho a honra de ser De Vossa Majestade Imperial*
> *Obediente e fiel criado.*

O pedido de Thomas nem foi respondido. Mas ou a ausência de resposta veio a calhar em um plano pré-concebido de deixar o país, ou a desconfiança e a impaciência do almirante o fizeram crer que acabaria por não receber nada do que lhe era devido. O fato é, que nos dias 11 e 20 do mesmo mês, em duas cartas destinadas ao presidente da Junta maranhense, o almirante insistiu em receber a quantia referente a bens públicos apresados na sua primeira campanha em São Luís, em 1823.

Notas e contas trocadas com a Junta do Maranhão, à qual Thomas encaminhara o produto das alfândegas portuguesas e das imensas riquezas reinóis daquele território, provam que houve falta de lisura da mesma Junta, e não de Thomas, no trato da coisa pública. O total das reivindicações ascendia a quatrocentos e vinte e quatro contos de réis, mas Thomas se propunha a aceitar apenas cento e seis contos, se fossem pagos em trinta dias. A chegada do novo presidente da província, Pedro da Costa Barros, nomeado pelo Rio de Janeiro, quase impediu a concretização dos planos do almirante. Temendo que suas exigências não fossem atendidas, Thomas impediu a posse do novo presidente, que acabou deportado para Belém. Thomas se sentia enganado pelo governo brasileiro.

Biógrafos atribuem parte do comportamento do almirante à carta que este teria recebido de Maria sobre as intrigas que corriam na corte contra ele. Entre outras, a de que ele seria responsável pelo pagamento de perdas e indenizações no valor de setenta mil libras. Para um especialista da questão, porém, Thomas nunca deixou de considerar a província como uma sua "terra conquistada". É bem provável que tenha entendido o título de marquês do Maranhão não apenas como uma honraria, mas, anacronicamente, como a legitimação dos seus direitos de conquista sobre o território. Thomas considerou qualquer interferência dos tribunais de presas uma violência sobre os poderes e privilégios que julgava ter com referência ao "seu marquesado". Afinal, era assim na Europa...

O trecho do livro no qual o almirante justificou suas ações no Brasil parece dar sentido a essa tese:

> *Sua Majestade Imperial teve a bem galardoar os serviços prestados, criando-me Marquês do Maranhão, como título o mais próprio para comemorar as vantagens granjeadas ao Império, decretando-me ao mesmo tempo bens de rendimento proporcionado à dignidade da honra conferida [...]. Os bens e o rendimento, contudo, nunca se deram, não obstante que no Maranhão, e noutras das províncias do Norte, numerosas e belas fazendas, pertencentes à Coroa Portuguesa, foram tomadas e reunidas ao domínio Imperial. A inconsistência disto foi notável, vendo-se ter eu sido o meio de acrescentar ao Brasil um território maior que metade da Europa [...]. A Assembleia Geral [...] se recusou a reconhecer a outorga de bens e renda para manter*

*de maneira decorosa o título que Sua Majestade se tinha graciosa-
mente servido conferir-me. A razão dada para este procedimento
extraordinário, numa longa discussão sobre a matéria, foi que em
outorgar-me assim bens, tinha Sua Majestade exercido prerrogativa
feudal incompatível com um país livre.*

Depois, ele expôs aos membros da Junta da Fazenda do Maranhão
as suas exigências, fazendo-lhes pormenorizado relatório. Em fevereiro
de 1825, os oficiais e tripulantes da esquadra nada tinham recebido nos
últimos quatro meses, isto é, depois que partiram do Rio de Janeiro. E
a maioria deles iria terminar os seus serviços para a Marinha brasileira
e partiria para a Europa, o que significava que sairiam do Brasil sem ser
recompensados pelo seu trabalho, o que era inegavelmente injusto. O
pagamento parcelado prometido pelo império não agradou a ninguém.
Esse fato justificava a enérgica atitude reivindicativa de Thomas. Depois
de muitas pressões, a Junta capitulou, e o pagamento começou a ser
feito. Thomas procedeu à divisão das presas entre os oficiais e marinheiros presentes, entre eles, Crosbie, que comandaria o navio que levou o
grupo de volta à Inglaterra, em 26 de junho de 1825, e Grenfell, que
retornaria ao Rio de Janeiro, onde se casaria e faria carreira na Marinha
imperial. Os que estavam em missão em outros pontos do país tiveram
que reivindicar por sua própria conta.

Houve rumores na imprensa de que Thomas iria até a costa da
África para recuperar presas portuguesas. Ninguém se perguntou se
lhe faziam falta as rudes paisagens da Escócia, a chuva e o *fog* londrino,
o calor dos braços de Kitty ou um prato quente de *haggis*. O que se
sabe é que, uma vez recebido o pagamento exigido, ele transferiu seus
homens de confiança para o brigue *Piranga*. Enviou o *Pedro I* para o
Rio de Janeiro. Sem maiores explicações, velejou de volta à Inglaterra.
Ao aportar em Portsmouth, em 26 de junho de 1825, pela primeira
vez a bandeira imperial brasileira foi saudada em uma nação estrangeira. Ele temia ser preso assim que pisasse em sua terra natal, uma
vez que o Parlamento britânico decretara, logo depois que Cochrane
partira para o Chile, que nenhum súdito poderia lutar para outro país,
mas foi recebido como um herói. Com Kitty e os filhos, partiu para
a Escócia. Em Edimburgo, foi aclamado nos teatros e ganhou poema

do maior escritor, *Sir* Walter Scott. O governo imperial só o demitiu formalmente da Marinha brasileira a 10 de abril de 1827, isto é, quase dois anos depois.

Durante o tempo em que esteve no Brasil, sua audácia e experiência em ações que não lhe foram comandadas evidenciaram o sentimento de autonomia e a dificuldade em obedecer a ordens – característica, aliás, de oficiais debandados da Royal Navy. Por outro lado, comprovaram o despreparo do imperador para lidar com o projeto de independência.

Thomas seguiu sempre amigo de Pedro, e, apesar de seus ideais liberais, compreendeu a dissolução da Constituinte e a implantação da Carta Outorgada. Acompanhou as dificuldades do imperador em criar a máquina política e acionar o governo da nova nação. Em cartas ao irmão, mencionou até um plano de atacar Portugal, se a paz não viesse de lá. Não foi por acaso que batizou seu terceiro filho com o nome do imperador: Arthur Leopold Pedro.

A ida de Thomas ao Maranhão e ao Pará foi decisiva para que essas províncias, então subordinadas diretamente a Lisboa, aceitassem reconhecer o império. Pedro não tinha como submetê-las, e, se continuassem como colônias de Portugal, acabariam caindo nas mãos inglesas. O Brasil perderia o acesso à Amazônia e seria hoje um país bem menor. O que Thomas levou do Maranhão foi bem pouco, se comparado à sua oportuníssima participação nas guerras do norte do Brasil. Sua ação na América do Sul não só garantiu a independência de novas nações, como consolidou a tradição do livre-comércio, tão proveitosa e tão essencial à Grã-Bretanha durante o século XIX.

Thomas conheceu os ventos, a liberdade do mar, os céus do fim do mundo. Com arrebatamento, ele serviu a causas de liberdade e, com seus conhecimentos, esclareceu governos. Ele procurou honrarias e recompensas, mas com a consciência tranquila de tê-lo feito sem ferir sua dignidade. Com perigo de vida e astúcia, conquistou navios, dominou rebeldes e inimigos, cuidou dos aliados e dos seus homens. Queimou as asas no fogo de aventuras. Ele ganhou, perdeu e, ao final, ganhou novamente. Pois em agosto de 1855, o governo regulamentaria, por lei, o pagamento relativo aos apresamentos efetuados durante as lutas da independência. Mas o almirante faleceria em 1860, ainda insatisfeito.

Os episódios maranhenses marcariam de forma perene sua imagem. Seus oficiais, que permaneceram no Brasil, herdariam injustamente parte da fama de caçadores de butim, a maioria sem ter acesso às vantagens pecuniárias referentes às presas. Enquanto o projeto de nação brasileira não estava consolidado, eles seriam úteis para os sucessivos governos imperiais, pela lealdade, coragem e competência que sempre demonstrariam.

A década de 1850 veria a consolidação definitiva do projeto de Estado Imperial, e a partir daí autores passaram a retirar dos oficiais ingleses o papel de "heróis da unidade nacional", colocando-os como simples executores de uma repressão. Como bem lembrou uma historiadora, o antibritanismo que passou a ser cultivado mais tarde por significativa parcela de políticos brasileiros – e que foi bastante agudo em meados do século XIX – se encarregou de diminuir os serviços prestados por Thomas na libertação do Brasil. ∾

Maria

Tempo de mudança. Maria, que tinha alugado um conjunto de quartos na Rua dos Pescadores com vista sobre a igreja de Santa Luzia, transferiu seus trastes para Laranjeiras. Sua amiga Madame Lisboa, cujo filho era encarregado de negócios em Londres, emprestou-lhe o que chamou de "casa de campo", naquela região de extensos laranjais. Os rumores não tinham cessado: ela voltaria para o palácio ou, por razão particular – afinal, era uma "espiã" –, continuaria no Rio. Por esse mesmo motivo, recebeu um cartão de outra figura suspeita que vivia na órbita da corte.

Escrito com "letra francesa", o texto a convidava a "recebê-la ali mesmo ou procurá-la". Parecia urgente. A remetente era uma bela mulher de brilhantes cabelos e mãos de fada. Tratou Maria como se ela também se interessasse por "negócios públicos e privados", ou seja, espionagem. Seu nome: Adèle de Bonpland, esposa do botânico e médico Aimé Bonpland, preso pelo ditador do Paraguai ao tentar especular com folhas de mate às margens do rio da Prata. Segundo Maria, na ocasião Adèle fora convidada a retirar-se do país por ser "demasiado ativa", expressão que podia designar desde a prostituição de alto nível aos negócios escusos. Pouco modesta ou discreta, Adèle, que passara alguns meses em Londres a caminho da América do Sul, despejou sobre a inglesa uma torrente de informações, a mais significativa sendo a de que havia se tornado tão íntima de Holland House, ponto de encontro dos políticos liberais, que poderia manipulá-los como fantoches!

Maria entendeu rapidamente que estava diante de uma mitômana. E mais: irritou-se quando a francesa lhe disse que queria apresentar-se a ela "em nome de *Lord* Cochrane, cujas generosas delicadezas para com ela a haviam ligado para sempre a ele". Generosas delicadezas?! E ainda o capitão Spencer, que ela havia conhecido em Buenos Aires e "cujas amáveis atenções para com ela, em sua triste situação" de exilada, "a haviam animado quando nada mais poderia fazê-lo". Ou seja, tinha sido muito bem "consolada" pelas tais atenções.

Maria, a rígida inglesa diante da desfrutável e bela francesa, ainda teve que ouvir que Adèle teria salvo a vida de Thomas, "pois, por meio de sua influência pessoal sobre um dos ministros e o namoro que consentia que sua filha tivesse com o chefe da secretaria de outro ministério para esse fim, ela havia descoberto uma atroz conspiração contra sua pessoa". De fato, Thomas tinha sido avisado por Adèle de que as tropas imperiais revistariam seu navio em busca de dinheiro escondido, e foi entender-se, no meio da noite, com Pedro. Tudo resolvido. Mas Adèle acrescentou que o plano incluía o assassinato de Thomas, ou sua prisão por traição na ilha das Cobras. Maria não diria, mas deve ter pensado: *bullshit*.

Como se não bastasse, a suposta "articuladora política" insistia que "o Bispo e mais uma ou duas pessoas de influência estavam inclinados a derrubar o ministério e livrar-se da influência secreta de Madame de Castro e do Barbeiro Plácido, e, por meio de um ministério mais liberal, do qual faria parte o patrício *Lord* Cochrane, dar a maior parte do poder a Leopoldina". Embora atônita, Maria entendeu que Adèle lhe falava como a alguém que também teria planos políticos e contava com sua experiência no palácio e com seu ressentimento para conspirar contra Pedro.

E Maria: "Agradeci-lhe o bom conceito que fazia de mim e disse-lhe o que dizia a todo mundo que procurava descobrir o que se passava no palácio: tendo comido o pão e o sal do Imperador sob seu teto, e sendo abertamente honrada pela amizade da Imperatriz, deixava a eles explicar a razão de minha saída de São Cristóvão".

A insistência da francesa em cercá-la com pedidos só se justificava por ser corrente a versão de que Maria tinha um papel no xadrez político. Uma segunda tentativa de aproximação foi feita quando Adèle apareceu, em lágrimas, pedindo-lhe que interferisse "junto a D. Pedro para libertar seu marido, prisioneiro do ditador Francia". Detalhe:

ela não queria que Maria transmitisse suas preocupações e sim, que arranjasse uma entrevista pessoal com Pedro. Que Maria a alcovitasse. Ela simplesmente queria substituir Madame de Castro: "Rogou-me que obtivesse a desejada entrevista". E insistiu: Maria não conhecia o Barbeiro, ou o padre Boiret? Pois era durante os passeios, à tarde, nos jardins do velho professor de francês, que o imperador aparecia e as apresentações poderiam ser feitas. Adèle desconhecia que ambos eram desafetos de Maria. A inglesa respondeu que só apresentava alguém a D. Pedro com a permissão da imperatriz. Assunto encerrado.

O clima em torno da inglesa era, de fato, bizarro. Depois de Adèle, foi a vez de o padre Boiret, alcoviteiro de Madame de Castro, convidar Maria para um café em seus jardins. Convite recusado e conclusão de Maria no diário: "Depois de experimentar se eu entraria voluntariamente em intrigas políticas, tentaram me converter em instrumento para fins não dignos". Realmente, a fama de Maria não era das melhores. E havia razões para isso.

Numa carta, Adèle Bonpland, a quem Maria pinta como se fosse uma estroina, agradecia o "terno interesse" que Maria havia demonstrado quanto à libertação de seu marido e quanto à sua delicada saúde. E termina dizendo: "Meu coração está demasiado agradecido pelos votos que a senhora faz por minha felicidade. Deus queira que eles se realizem!". E assinava-se "sua grata e devotada amiga". Maria agia com duplicidade.

Outro episódio dúbio foi o encontro que teve com Leopoldina, três meses depois de deixar o palácio. Diz Maria que recebera um pedido da imperatriz para "vê-la pessoalmente". E como se contasse com a intimidade que existia entre elas, disse que Leopoldina entrou "ansiosamente no assunto", como se a convidasse a ser cúmplice. Leopoldina queixou-se dos ministros, quase todos portugueses, e dos brasileiros, que agiam como tal no julgamento das presas que tanto preocupavam Thomas. Depois desfiou uma série de castigos que seriam impostos aos chefes de esquadra, inclusive por terem atacado propriedades dos súditos de D. João VI. Eles seriam declarados traidores. Suas propriedades seriam confiscadas e eles, aprisionados e punidos. Seria uma maneira de se ver livre de estrangeiros na Marinha e um alívio para o Tesouro do Brasil, uma vez que as quantias prometidas a *Lord* Cochrane e seus oficiais eram muito altas. Perguntada se tinha contato com Thomas, Maria respondeu que ele lhe enviara um pacote pelo correio contendo um jornal, estatísticas e um panfleto do Maranhão. Junto, algumas linhas do punho de um secretário, informando que o *Lord* estava muito ocupado.

Segundo Maria: "Ela me pediu então que escrevesse a S. Excia. narrando tudo o que me havia dito e que o avisasse de que, se ele prezava a liberdade ou sua dignidade, não entrasse no porto do Rio de Janeiro enquanto estivesse no poder o atual ministério". E ao chegar em casa, matutou: "E se fosse parte de um plano para fazer o Almirante e os oficiais deixarem o serviço espontaneamente e, assim, perderem os vultosos pagamentos e prêmios, verdadeiro objeto da cobiça ministerial?". Maria escreveu a Thomas e entregou a carta nas mãos do capitão Grenfell. "Se ela jamais chegou ao seu destino, não sei, já que não tive nenhuma comunicação posterior com o Almirante". Tudo indica que sim, e que Thomas ignorou o conteúdo.

Não se sabe se o clima de vingança e conspiração, ou aquele que Maria imaginava existir, a fez escrever a Leopoldina. Sua coragem entrou em colapso. A resposta da imperatriz demonstra que a ex-governanta se preocupava com a própria segurança:

> *Minha queridíssima amiga.*
> *Se eu estivesse persuadida de que vossa permanência pudesse ter alguma consequência aborrecida para vós, seria a primeira a vos aconselhar a deixar o Brasil. Mas, crede-me, minha delicada e única amiga, que é um doce consolo para meu coração saber que habitais ainda por alguns meses o mesmo país que eu.*
> *[...] Ficai tranquila quanto a mim. Estou acostumada a resistir e combater os aborrecimentos e quanto mais sofro pelas intrigas, mais sinto que todo o meu ser despreza estas ninharias. Mas confesso, e somente a vós, que cantarei um louvor ao Onipotente quando tiver me livrado de certa canalha.*
> *Assegurando-vos toda a minha amizade, que vos seguirá por toda parte onde eu estiver, vossa afeiçoada, Maria Leopoldina.*

Maria se sentia no mais instável dos mundos. Sua repentina demissão atingiu também a comunidade britânica. Ninguém lhe emprestou dinheiro, e ela foi recebida com frieza pelos comerciantes patrícios. Até o pedido que fez de embarcar de volta para a Inglaterra na fragata *Blanche* foi negado, com a desculpa de que o capitão do navio, certo comandante Mends, "considerava o negócio envolvido em muitas dificuldades". Com muitas desculpas, disse-lhe que não tinha acomodações para uma senhora. Ela reagiu:

> *Prezado Senhor.*
> *Nunca fiquei tão surpreendida como ao receber vossa nota [...] um oficial inglês temeroso, relativamente a qualquer governo, de proteger uma filha de oficial e viúva de um seu colega. Que vergonha! Se fosse possível imaginar isso em vida de meu marido ou de meu pai!*
> *Não vos preciso lembrar de que não sou fugitiva, correndo do país, mas uma súdita, retirando-se de um serviço que não lhe convém [...].*

A vontade de embarcar camuflava outra vontade. A de reencontrar Thomas, ainda operando no Nordeste. Mas sobre esse desejo, recebeu carta de um dos seus oficiais, John London, secretário da Estação Naval Britânica na América do Sul. Explicando-lhe que muito se esforçou para arranjar-lhe um camarote, e que o tal comandante Mends estava "bem penosamente sentido" em recusá-la a bordo, London prossegue: "Mas como pareceu que a vossa intenção era ver *Lord* Cochrane, imagino o desapontamento que teríeis na vossa chegada à Bahia ou Pernambuco, ao descobrir que ele já teria partido para o Rio, já que corre com insistência que foi reconvocado". Sabemos a opinião que Thomas expressou sobre Maria e que, a esta altura, ela seria a última pessoa que ele gostaria de ver. Talvez por terem vivido algo que os fazia a ambos, mas a ele, em particular, parecer ridículos.

Em Laranjeiras, Maria instalou-se com Ana, criada cheia de ignorante boa vontade, e José, um mulato livre que lhe comprava mantimentos e fazia a comida. A tal casa de campo não passava de uma pequena cabana de dois quartos cheios de coisas: uma cama, montes de livros, peles de cobras e de répteis diversos, um retrato de *Lord* Cochrane e outro do finado marido, lado a lado, um gato e quinquilharias. O sol filtrava entre as telhas quebradas. Para sobreviver, vendeu tudo o que não era necessário: talheres e bule de prata. Comprou um cavalinho para se locomover e um cachorro para olhar pela casa. Aguardava com ansiedade uma carta de crédito, que não chegava, proveniente de sua pensão de viúva. Visitada por uma pessoa conhecida da imperatriz, foi vista comendo num prato usado por escravos. Em Laranjeiras, fingia para os vizinhos que era pessoa muito digna, importante e ocupada. Um jogo de faz-de-conta que exigia muita habilidade.

Bracejando em economias, Maria passava o tempo enfiada na mata, buscando plantas que herborizava e reproduzia. Enviava os desenhos para um amigo escocês, diretor do Jardim Botânico de Kew. Em suas excursões, ficou sabendo de algo que era conhecido da população carioca: ali havia quilombos. E deles vinham os ovos, aves e frutas que abasteciam sua mesa. Por ser inglesa, pobre e, segundo ela mesma, "amiga dos pretos", nunca teve a casa invadida e roubada por quilombolas. Foi quando José achou emprego melhor numa alfaiataria, e Maria achou outro José.

Sua história é um tanto romanesca, mas plausível. Não se sabe se Maria a embelezou para vender suas memórias ao chegar à Inglaterra. Mas "o novo José era um verdadeiro tesouro!", "inteligentíssimo", grafou entusiasmada. "Era filho de um rei da África: tinha sido deixado como morto num campo de batalha, antes que suas feridas estivessem bem curadas. Sobrevivera à travessia e, ainda indignado de ser escravo, acostumara-se a considerar isso como uma consequência de uma guerra malsucedida, e não deixava que sua indignação estragasse seu bom humor. Era por demais grato ao seu proprietário de então pelos cuidados que havia tomado com suas feridas e sua saúde, antes de mandá-lo trabalhar, para ter qualquer pensamento contra seus interesses. O maior prazer de José, enquanto esteve comigo, era trazer um banco, sentar-se do lado de fora da janela do meu quarto, se me via somente desenhando ou trabalhando, pegando uma cobra para tirar a pele, suas roupas para remendar ou os arreios do cavalo para limpar, e entreter-me com histórias da grandeza de seu pai na África: como obrigava os homens de importância a reverenciá-lo e como, quando ele queria mandar uma mensagem a um grande homem, muito longe, enviava uma vara com um pedaço de algodão enrolado em torno, com marcas. Quando essas marcas correspondiam às de outra vara que o potentado possuía, este último sabia o que o rei desejava que ele fizesse."

Na espera de uma solução para seu regresso à Inglaterra, os meses seguintes se arrastaram. Verão no Rio. A umidade a abraçava cada vez que abria a porta. Visitas, poucas: três ou quatro famílias inglesas e uma ou duas francesas. Apesar de sua situação financeira, gabava-se de ver frequentemente a filha do primeiro-ministro. Na casa dos Carvalho e Mello, conheceu "senhoras gentis e amáveis" que, outrora, tinha ignorado por serem brasileiras, e agora se arrependia de não ter cultivado sua amizade. A culpa era dos "temores e ciúmes da sociedade inglesa no Rio", justificava-se, desajeitada.

Nessa época, o Ceará e o Maranhão tinham se rendido à esquadra de Thomas. No Sul, escaramuças em postos avançados prenunciavam uma guerra no rio da Prata. O Brasil tinha pretensões sobre a província que ficava a nordeste. Os diferentes chefes que haviam se tornado líderes da República Argentina queriam a banda oriental do rio. Esperava-se um acordo mediado pela França ou Inglaterra. Na corte, a Assembleia Legislativa se reunia, fazendo e desfazendo projetos. O imperador continuava sem receita, sem dinheiro e com muitos gastos.

E Maria continuava querendo deixar o Brasil. Fez várias tentativas. Por que não deu certo? Segundo ela, porque existia um grupo que antevia seu retorno ao palácio com poderes muito maiores, bastando para isso que ela fizesse um requerimento. Corriam rumores de que nem isso seria necessário, pois falando dela, em mais de uma vez, Pedro teria dito às portuguesas "que gostava" do seu espírito. E que "teria mais respeito à canalha do paço se acreditasse que qualquer delas seria capaz de escrever a carta que eu lhe havia escrito". E acreditando nas histórias que lhe contavam, gabava-se: "Custo a conter o sorriso pela surpresa despertada em todos os portugueses e brasileiros por alguém ser tão fria como eu, perante a honra de servir a um Bragança".

Sim, ela gostaria de "triunfar sobre seus antigos atormentadores". Mas tinha resolvido nunca mais se colocar numa situação de dependência. E enumerava outras razões: como viver entre pessoas que não a apreciavam ou temiam? E sua ligação com Leopoldina, não seria mais uma provação para a imperatriz?

Maria dizia insistir em manter-se afastada das honras do palácio. Suas fantasias, porém, se alimentavam dos gestos de Pedro, que, conhecido por reagir intempestivamente, fazia questão de cumprimentá-la em público. Como foi o caso, no dia de um jantar na casa dos cônsules da Inglaterra, em que, passando a cavalo na direção do Jardim Botânico, ele apeou e veio lhe falar. Perguntou sobre sua saúde, trocou amenidades e, segundo ela, prestigiou Maria na frente dos patrícios. Tudo o que ela queria.

Numa segunda vez, durante uma corrida de cavalos organizada pelos ingleses na praia de Botafogo, em homenagem a *Sir* Charles Stuart e sua comitiva, foi chamada em alta voz por Pedro e, depois de um *shake hands*, ele a convidou a conversar com Leopoldina, que se encontrava sentada numa carruagem. *Sir* Charles divertiu-se "com a delicadeza demonstrada com a ex-governanta" –, registrou Maria, que assim impressionou também os oficiais ingleses. Dessa forma, ela podia garantir que não deixara sua função por desentendimento pessoal com o casal. Mas era óbvio que, se Pedro quisesse seu retorno, não faria qualquer cerimônia em acenar-lhe com outro convite.

Isso foi logo depois que *Sir* Charles Stuart chegou, num domingo úmido de julho de 1825. Alguns pensavam que vinha como embaixador da Inglaterra, e muito poucos sabiam que ele atravessara o Atlântico como ministro plenipotenciário de Portugal, escolhido por D. João VI para negociar a independência do Brasil. O reino andava em convulsões. Pedro, por seu lado, sentia-se humilhado por não estar nas mesmas condições de outras cabeças coroadas na Europa. O pai de Leopoldina lhe escrevia, incitando-o a se entender com o pai e fazendo os melhores votos pelo sucesso das negociações. Francisco I queria assegurar à filha e aos netos o trono das Américas. O tratado que permitia à Inglaterra mercadejar em situações excepcionais com o Brasil vencera havia dois anos, além de aquele país ter emprestado a Portugal a quantia fenomenal de 1,4 milhão de libras. Como recuperá-las, sem o ouro e os produtos brasileiros? A Inglaterra também estava decidida a reconhecer as repúblicas sul-americanas e não queria deixar o Brasil de fora, nem o tornar alvo dos interesses norte-americanos. Era preciso achar uma solução que satisfizesse as três partes.

Entre idas e vindas – "pois os brasileiros remancham tanto por conta de feriados e dias santos" –, Stuart, sem maiores cerimônias, expôs seu plano: o império deveria pagar o empréstimo feito a Portugal, mais 600 mil libras a D. João, a título de propriedades reais que ficaram no Brasil, e a Inglaterra exigia para si um novo tratado de comércio nos moldes do anterior. Caso contrário, a Inglaterra interviria em favor de Portugal. O Brasil – sem armas, sem dinheiro e sem gente – não tinha escolha. Pedro também não. Queria serenar as agitações, evitar a guerra e reconhecer o império do Brasil. Assinou dois tratados: um, apresentado ao público, no qual D. João reconhecia a independência, gerando vivas e alegria nas ruas e galerias. E outro, secreto, em que se comprometia ilegalmente a pagar as dívidas de 2 milhões de libras e assinar um novo tratado com a Inglaterra. Como não havia maiores explicações sobre a sucessão em Portugal, nem a Constituição de 1824 incluía qualquer dispositivo vedando a Pedro aceitar outra coroa, tudo leva a crer que o jovem imperador sonhava, assim como seu pai, reunir novamente os dois reinos.

No pano de fundo, três mulheres. Uma brilhava: Madame Castro. Sua ascensão tinha sido fulgurante. Coberta de presentes luxuosos, nomeada pelo real amante primeira-dama de Leopoldina, com direito de estar presente a todos os passeios e ocasiões públicas, impunha à imperatriz "o mais odioso dos incômodos". Ou seja, infligia sua presença desde que Leopoldina saía dos aposentos privados – fulminou Maria. Em breve, seria agraciada com o título de viscondessa de Santos, "pelos serviços prestados à imperatriz".

Em sua casa, recebia amigos, diplomatas e oficiais. Um deles foi Stuart, que escreveu ao primeiro-ministro inglês: "Devemos às boas graças da sra. Domitila de Castro a remoção de obstáculos que teria feito malograr toda a negociação". De fato, Stuart foi visitá-la, segundo o cônsul austríaco, para congratulá-la pelo título recém-recebido, exemplo seguido por outros estrangeiros. Não o fez por simpatia, mas porque era tradição estabelecida nas cortes europeias, ao chegar a uma nova sede, entrar em contato com a amante da vez do soberano em exercício. A intenção era uma só: obter informações indiretas sobre o monarca e exercer influência sobre ele, inflando sua vaidade viril.

Maria não se conformava pelo "reconhecimento público" que Pedro dava à amante, enquanto distribuía insultos e mágoas a Leopoldina. O já mencionado Carl Seidler concordava: "Não era só nos aposentos que ela tinha de suportar tão duro trato do esposo, não; dizem que até em plena rua, à vista do povo indignado, ele a insultara e maltratara cruelmente".

Maria, por sua vez, tentava desesperadamente sair do limbo em que sua condição a colocara. Mas seus modos, ou sua fama, a comprometiam. O almirante Graham Eden Hammond, que acompanhou Stuart, tendo conhecido Maria num jantar, descreveu-a como um misto de vedete, naturalista e virago: "A célebre Mrs. Graham [...] esforçou-se por monopolizar toda a conversação e pareceu-me ser meio maluca ou meio confusa". E concluía, "não aprecio esta mulher-homem. Ela está sempre fora do seu caráter natural".

Apegando-se ao fio de esperança que a proximidade de *Sir* Charles Stuart lhe proporcionou – "sua cortesia constante e atenciosa que tornou minha situação muito mais agradável do que tinha sido até aqui" –, Maria queria uma carona. Graças à sua intercessão junto aos ministros brasileiros, obteve seu passaporte e uma cabine num navio britânico de carga, o Sibilia. Despediu-se de seus "bons amigos brasileiros" e de uma ou duas famílias inglesas. Sem amargura, ela fechou, assim, um capítulo de suas aventuras na América do Sul, onde muita coisa no seu íntimo se quebrara.

A história não teria fim sem uma última visita a Leopoldina, que ela encontrou em sua biblioteca, inteiramente só. A imperatriz lhe pareceu fraca de saúde e profundamente deprimida. Mais tarde, em correspondência, ela mesma acusaria uma depressão negra. Deu-lhe várias cartas para levar à Europa. Pediu-lhe especial carinho para uma, à sua irmã, a ex-imperatriz Maria Luísa. Mais tarde, Maria escreveria: "Nem pensávamos, nessa época, que sua vida findaria antes de eu ter uma oportunidade de ver a capital de seu país".

Leopoldina perguntou se tinha alguma coisa que pudesse fazer ou lhe oferecer. Maria respondeu: uma mecha de cabelo. A imperatriz tomou de um canivete que estava sobre a mesa e cortou um cacho de seus cabelos louros. "Saí com sentimento de opressão, pois deixava-a, como previ, para uma vida de vexações", escreveria Maria, mais tarde. Era o dia 8 de setembro de 1825.

Maria, a escritora, viajante, naturalista teria sido uma mulher ávida de reconhecimento, escondendo seu egoísmo sob uma capa de compreensão e doçura, como faz parecer em seu diário? Cinco dias depois, a fragata inglesa deixou a baía de Guanabara, dando as costas à paisagem que Maria descobrira, desenhara e descrevera. Deixou o verão tropical para chegar no inverno europeu. As estrelas lhe indicaram o caminho para o Norte. Suas últimas palavras:

> *É curioso que o primeiro dia em que voguei nas costas do Brasil, no ano de 1821, tenha sido aquele em que se deu o primeiro tiro da parte dos independentes contra as tropas reais em Pernambuco e que, finalmente, eu deixasse o porto do Rio de Janeiro no mesmo dia em que a dissolução completa da ligação entre Brasil e Portugal foi lida em todas as praças públicas e as salvas ainda se disparavam para celebrar a Independência do país em setembro de 1825.*

Pedro, Maria e Thomas

O primeiro a morrer foi Pedro. Tinha apenas 36 anos. Viveu como um cometa e morreu em Queluz, no mesmo quarto que o vira nascer. Seu sucessor, Pedro II, veio ao mundo dois meses depois da partida de Maria. No início de 1826, Pedro perdeu o pai, envenenado pela mãe. Em maio, reconheceu a filha bastarda como duquesa de Goiás, e em outubro, nomeou a amante marquesa de Santos. Em dezembro, perdeu Leopoldina, que morreu tragicamente de "curta moléstia", só e abandonada. Entrou e saiu da Guerra Cisplatina, um conflito dispendioso e desnecessário, sem perdedores ou vencedores, conflito que manchou sua reputação. Depois de procurar uma nova companheira nas cortes europeias, tendo sido sistematicamente recusado, casou-se pela segunda vez com a bela D. Amélia de Leuchtenberg. A independência lhe custou muito suor, e aos brasileiros, sangue e lágrimas. Abdicou em favor do filho, D. Pedro II, a 7 de abril de 1831, e foi lutar pelo trono português que queria para a princesa Maria da Glória, usurpado pelo irmão, D. Miguel. Exilou-se em Paris. Lá, a 24 de janeiro de 1832, na hora da partida, ajoelhou-se aos pés da jovem esposa e proclamou: "Minha senhora, aqui está um general português que vai defender seus direitos e restituir-lhe a coroa".

Sua esquadra, composta de três navios velhos, um vapor fretado e algumas embarcações de pequeno porte, levava sete mil homens, que iriam lutar contra um exército composto por oitenta mil homens e apoiado pela população. Reza a lenda que Thomas teria se oferecido para lutar a seu lado, pela amizade que lhe tinha. D. Miguel tinha soldados, mas não tinha generais. Com Pedro era o contrário: além de contar com o próprio destemor e habilidade com armas, ele tudo usou nessa campanha. Ao término da guerra, estava acabado. Deixou a barba crescer, prometendo só cortá-la quando a causa da filha estivesse vencida. Em setembro, Maria da Glória e D. Amélia o reencontraram em Lisboa, assustando-se, ambas, com seu aspecto envelhecido, as barbas e os cabelos brancos. Tísico, com um pulmão destruído, o coração e o fígado hipertrofiados, tratou de deixar os negócios acertados: fez seu juramento de regente constitucional, tomou providências para a declaração de maioridade da jovem rainha e para seu casamento com o irmão de D. Amélia, Augusto de Beauharnais, e despediu-se de suas funções. Como bem disse dele uma biógrafa, "morreu a 24 de setembro de 1834, o rei, filho e neto de reis, defensor de instituições livres na América e na Europa, que dera constituições às suas duas pátrias e que deixou a filha reinando em Portugal e o filho, no Brasil". Seus restos mortais foram trasladados para o país em 1972, na comemoração dos 150 anos da independência, tendo sido abrigados na cripta do Monumento à Independência, em São Paulo. Leopoldina repousa ao seu lado, com a mesma roupa usada na coroação e brincos de resina imitando pedras preciosas e ouro.

Thomas, ao contrário, viveu bastante tempo e só faleceu aos 85 anos de idade, a 31 de outubro de 1860, em Londres, durante uma operação de extração de cálculos renais. Já estava viúvo de sua bela Kitty, ou Ratinha, com quem teve seis filhos. Sua sepultura na Abadia de Westminster só é igualada em importância à do Soldado Desconhecido. Mas seu túmulo é o que mais se destaca, pois é o primeiro em frente ao altar principal, bem ao centro da nave. O epitáfio é de autoria de *Sir* Lyon Playfair e reza: "Aqui descansa no seu 85º ano Thomas Cochrane, o décimo Conde de Dundonald de Paisley e de Ochiltree nos pares da Escócia e Marquês do Maranhão no império do Brasil. E almirante de esquadra que, pela confiança que seu gênio, sua ciência e sua extraordinária ousadia inspiraram, por suas heroicas atividades pela causa da liberdade e por seus esplêndidos serviços igualmente em seu país e na Grécia, Brasil, Chile e Peru, obteve um nome ilustre através do mundo pela sua coragem, patriotismo e cavalheirismo".

Finalmente instalado na Inglaterra em 1830, Thomas conseguiu sua reabilitação, recuperou o título nobiliárquico da família, com a morte do pai, e assim pôde assumir o título de 10º conde de Dundonald. Conseguiu também reingressar na Marinha Real em 1832, já com o título de contra-almirante. Os jornais ingleses comentaram ironicamente que isso só aconteceu porque o alto comando naval inglês preferiu reincorporá-lo ao serviço ativo a deixá-lo do lado de fora, atirando contra a administração naval. No entanto, seu temperamento impulsivo e arrebatado continuaria a causar desconfiança em seus superiores, que nunca lhe deram uma chefia realmente importante. Só em 1847, aos 72 anos, recebeu o comando em chefe da região da América do Norte e Índias Ocidentais, o que em verdade não era muito significativo. Durante a Guerra da Crimeia, aos 79 anos, Cochrane chegou a ser cogitado para o comando da frota do Báltico, mas os aliados russos, temerosos de seu temperamento intempestivo, teriam vetado seu nome, sentindo-se talvez ameaçados indiretamente em São Petersburgo. Na verdade, o Almirantado temia que seu *adventurous spirit* o pudesse levar a alguma iniciativa perigosa. Assim, o velho lobo do mar, considerado um dos dez maiores comandantes navais britânicos de todos os tempos, nunca chegou a receber um comando realmente digno de sua capacidade naval.

Em 1842, aos 56 anos, Maria fechou os olhos. Sua vida, porém, tinha mudado radicalmente. Quem primeiro soube da novidade foi Leopoldina. Tão logo chegou em Londres, Maria lhe escreveu. Chamando-a "minha augusta e bem-amada amiga" contou-lhe duas novidades: que estivera muito doente dos pulmões e que iria passar o mês de fevereiro na Itália.

Mas é preciso dizer a Vossa Majestade como e por que eu devo ir acompanhada. Estando cansada de viver neste mundo, não me recusei a consentir em casar-me novamente – mas não será senão no mês de fevereiro que isto se dará. O homem que escolhi é pintor, e não me faltam parentes que clamam por uma mésalliance, uma má aliança. Que tolos! Como se um honesto nascimento e talentos superiores, com probidade e vontade, não valessem muito mais que o privilégio de dizer-se prima, em não sei que grau, de certos Lords que não se incomodam comigo mais do que com a rainha dos peixes.

Chama-se Calcott. É um belo homem de 47 anos que muito me ama e me amou há muito tempo.

Ao casar novamente, desceu sobre Maria a extraordinária redoma de vidro que separava a gente casada do resto do mundo. O amor de Calcott antes confirmava uma velha afinidade do que uma nova relação. Não se sabe se entre os tais *Lords*, que não se incomodavam com ela, estaria Thomas. É muito provável. Não se sabe, tampouco, se entre ir e voltar do Brasil, teria encontrado ou reencontrado o futuro marido, na temporada que passou em Londres estudando com Joshua Reynolds.

Nessa mesma época, 1824, Maria tinha publicado seu livro *Journal of a Voyage to Brazil and Residence There During Part of the Years 1821, 1822 and 1823*, com belas gravuras. A obra deve ter passado despercebida. O Brasil não estava na moda, e sim o Oriente Médio. E como ela mesma comentou, na fervilhante Londres, "depois de novembro até o fim de maio há tantas viagens, romances, histórias e poemas que ninguém se lembra, na segunda-feira, do que foi publicado no sábado". O mercado editorial já era disputadíssimo, e, segundo Maria, "temos habitantes demais em nossa pequena ilha e acotovelamo-nos para encontrar lugar".

Fora do mundo do livro, ela encontrou seu espaço. Alugou quartos em Kensington Gravel Pits, hoje, conhecido como Notting Hill Gate, na época, um vilarejo de artistas plantado num cenário inóspito de galerias e pedreiras à beira da floresta de Middlesex. Ali, o azul, o violeta, o amarelo e o vermelho eram as cores que agradavam aos olhos. Ali, também, viviam Augustus Calcott e seu irmão John, músico, ambos nascidos no local. Paisagista, como Maria, Augustus pintava cenas do litoral, de rios e montanhas, refletindo os céus cor de clara de ovo que cobre a região. No ateliê repleto de telas, croquis, desenhos e tintas, ele pintava. E ela, tranquilamente, escrevia. Certamente, se corresponderam enquanto Maria estava no Brasil.

O ambiente era animado por outros pintores e músicos da Real Academia de Música, e esse grupo vivo e unido recebia visitas ilustres como as do pintor Edwin Lanseer, de John Constable ou J.M. William Turner. O alojamento de Maria, menos modesto do que sua "casa de campo" em Laranjeiras, abria a porta para intelectuais londrinos conhecidos, como o poeta escocês Thomas Campbell, seu editor John Murray e o historiador Francis Palmgrave. Um verdadeiro salão, onde personalidades interessantes cruzavam com homens de espírito. A conversa animada e a reciprocidade na arte de ouvir dava a essas reuniões uma urbanidade encantadora. Maria não teve qualquer dificuldade em sentir-se como um peixe na água: afinal, tinha conhecimento do mundo e a maneira de ser e de se portar de pessoas que viajaram, conheceram cabeças coroadas e tribos em extinção. Foi acolhida e era muito respeitada por sua carreira de ilustradora e escritora.

Maria e Augustus se casaram no dia 20 de fevereiro de 1827, quando ele completava 48 anos. Ela tinha 42 e já vivera o bastante para saber o quanto devia se considerar afortunada. Em maio, embarcaram para um ano de lua de mel na Itália, Áustria e Alemanha, onde, ao estudar arte e arquitetura, cruzaram exaustivamente com críticos, escritores e intelectuais de todo o tipo. Ao retornar a Londres, ela publicou um livro sobre a história da Espanha. Em 1831, teve um derrame e, obrigada a uma longa convalescença, escreveu um livro que fez enorme sucesso: *A história da Inglaterra pelo pequeno Arthur,* traduzido para o francês numa versão em que Arthur virou Luís.

Alguns anos depois, Augustus foi feito "Cavaleiro" e curador das pinturas da rainha Vitória, e Maria, que desdenhara os *Lords,* passou a assinar-se *Lady* Calcott. Logo depois, sua saúde se deteriorou, mas ela continuou a escrever até o fim da vida. Sua paixão por botânica nunca esmoreceu. Seu último trabalho foi sobre plantas e árvores citadas na Bíblia, publicado depois de sua morte. Augustus a seguiu dois anos depois. O casal repousa lado a lado no cemitério de Kensall Green. ∾

Bibliografia

ALMEIDA, Washington Perry. Primeiro Almirante da Marinha do Brasil, Anais do congresso de história da Independência. *Revista do Instituto Histórico e Geográfico Brasileiro*, v. VI, 1975.

AMARAL, Braz H. do. *História da Independência da Bahia*. Salvador: Livraria Progresso, 1957.

ANTUNES, Edna Fernandes. *Marinheiros para o Brasil*: o recrutamento para a Marinha de Guerra Imperial (1822-1870). Dissertação (Mestrado em História Social) – Faculdade de Formação de Professores, Universidade do Estado do Rio de Janeiro. Rio de Janeiro, 2011.

ARAÚJO, Emanuel. *O teatro dos vícios*. Rio de Janeiro: José Olympio, 1993.

ARAÚJO, Ubiratan Castro de. Sans gloire: le soldat noire sur le drapeau brésilien 1798-1838. In: CROUZET, François *et al. Pour l'histoire du Brésil*: mélanges offerts à K de Queiros Mattoso. Paris: L'Harmattan, 2000.

ARON, Jean-Paul. *Miserable et glorieuse la femme du XIXe siècle*. Paris: Fayard, 1980.

ASSUNÇÃO, Matthias Röhrig. Cabanos contra bem-te-vis: a construção da ordem pós-colonial no Maranhão (1820-1841). In: PRIORE, Mary del; GOMES, Flávio (Orgs.). *Os senhores dos rios*: Amazônia, margens e histórias. Rio de Janeiro: Campus, 2003.

ASSUNÇÃO, Paulo de. *Ritmos da vida: momentos efusivos da família real portuguesa nos trópicos*. Rio de Janeiro: Arquivo nacional, 2008.

AUGUSTIN, Günther. *Literatura de viagem na época de D. João VI*. Belo Horizonte: Editora UFMG, 2009.

AZEVEDO, Aroldo de. *Cochranes do Brasil*: a vida e a obra de Thomas Cochrane e Ignacio Cochrane. São Paulo: Companhia Editora Nacional, 1965.

BARBOSA, Marialva. *História cultural da imprensa*: Brasil 1800-1900. Rio de Janeiro: Mauad, 2010.

BARMAN, Roderick J. *Brazil*: The Forging of a Nation, 1798-1852. Stanford: Stanford University Press, 1988.

BARRACLOUGH, Geoffrey. *Introdução à História Contemporânea*. Rio de Janeiro: Zahar, 1976.

BARROSO, Gustavo; CALMON, Pedro. *Segredos e revelações da História do Brasil*, tomo I. Brasília: Conselho Editorial do Senado Federal, 2013.

BELCHIOR, Lourdes de Almeida Barreto. *Leopoldina e os jornais: a Imperatriz e a Imprensa brasileira de 1817 a 1826*. Dissertação (Mestrado em História) – Universidade Salgado de Oliveira. Niterói, 2019.

BELICH, James. *Replenishing the Earth*: The Settler Revolution and The Rise of The Anglo-World, 1783-1939. Oxford: Oxford University Press, 2009.

BETHEL, Leslie. A presença do Império nos trópicos. *Acervo – Revista do Arquivo Nacional*, Rio de janeiro, v. 22, n. 1 p. 53-66, jan./jun. 2009. Disponível em: https://bit.ly/34yybdi. Acesso em: 02 fev. 2022.

BIARD, Auguste François. *Dois anos no Brasil*. Brasília: Conselho Editorial do Senado Federal, 2004.

BIRKETT, Dea. *Spinsters abroad*: Victorian Lady explorers. London: Blackwell, 1989.

BITTENCOURT, Armando de Senna. Da Marinha de Portugal forma-se uma Marinha para o Brasil, 1807 a 1823. Disponível em: https://bit.ly/3HqFoL0. Acesso em: 02 fev. 2022.

BLANQUI, Adolphe. *Voyage d'um jeune français em Angleterre et em* Écosse *pendant l'automne de 1823*. Paris: Hachette Livre, 2012.

BOTH, Victor Curado. O legado do Almirante Nelson para a armada. *Revista Marinha Brasileira*, v. 136, n.7-9, jul./set. 2016.

BRAGA, Leonardo. Os mercenários de Pedro I. *Insight, Revista Inteligência*, Rio de Janeiro, v. 41, p. 86-99, abr./jun. 2008.

BRYSON, Bill. *Em casa*: uma breve história da vida doméstica. São Paulo: Companhia das Letras, 2010.

CAIN, P. J.; HOPKINS, A. G. *British Imperialism*: Innovation and Expansion, 1688-1914. Harlow: Longman, 1993.

CALDEIRA, Jorge. *A nação mercantilista*: ensaio sobre o Brasil. São Paulo: Editora 34, 1999.

CALDEIRA, Jorge et al. *Viagem pela História do Brasil*. São Paulo: Companhia das Letras, 1997.

CALMON, Jorge. As lutas pela Independência nos mares da Bahia. In: *2 de julho*: a Bahia na Independência Nacional. Salvador: Fundação Pedro Calmon; Governo do Estado da Bahia, 2010.

CAMPOS, Maria de Fátima Hanaque. Relatos de viagem e a obra multifacetada de Maria Graham. *Sitientibus*, Feira de Santana, n. 41, p. 99-114, jul./dez. 2009.

CARVALHO, José Murilo de. *Teatro das sombras*: a política imperial. São Paulo: Vértice, 1988.

CARVALHO, Marcus J. M. *Os índios de Pernambuco no ciclo das insurreições liberais, 1817-1848*: ideologias e resistência. *Revista da Sociedade Brasileira de Pesquisa Histórica* , n. 11, 1996, p. 51-69.

CASSOTTI, Marsilio. *A biografia íntima de Leopoldina*: a imperatriz que conseguiu a Independência do Brasil. São Paulo: Planeta, 2015.

CAVALCANTI, Zélia, O processo de Independência da Bahia. In: MOTA, Carlos Guilherme (Org.). *1822*: dimensões. São Paulo: Perspectiva, 1972.

CIRINO, Raissa Gabrielle Vieira. "Os Colunas do Maranhão": teias de intrigas em uma "remota província" do Brasil Império (1822-1831). *Diálogos* (On-line), v. 22, p. 76-97, 2018.

COCHRANE, Alexander Thomas. *Biography of a Seaman*. London: Longman & Green, 1947.

CORBIN, Alain. *Le territoire du vide*: l'Occident et le désir de rivage. Paris: Flammarion, 2010.

CORBIN, Alain. *Le ciel et la mer*. Paris: Flammarion, 2019.

CORDINGLY, David. *Cochrane*: The Real Master and Commander. London: Bloomsbury Publishing, 2007.

COTT, Nancy F. Passionless: an Interpretation of Victorian Sexual Ideology 1790-1850. In: COTT, Nancy F.; PLECK, Elizabeth H. *A Heritage of her own*: Toward a New Social History of American Women. New York: Simon and Schuster; Touchstone, 1979.

DARÓZ, Carlos Roberto Carvalho. A Milícia em armas: o soldado brasileiro da guerra de Independência. *Revista Brasileira de História Militar*, Rio de Janeiro, ano IV, n. 11, ago. 2013.

DAUPHIN, Cécile. Femmes seules. In: DUBY, George; PERROT, Michelle. *Histoire des femmes en Occident*: le XIXe siècle. Paris: Plon, 1990. p. 513-531.

DAWSON, Lesel. *Lovesickness and Gender in Early Modern English Literature*. Oxford: Oxford University Press, 2008.

DEL PRIORE, Mary. *A carne e o sangue*: a Imperatriz D. Leopoldina, D. Pedro I e Domitila a Marquesa de Santos. Rio de Janeiro: Rocco, 2012.

DEL PRIORE, Mary. A vida cotidiana no Rio de Janeiro. *Revista do Instituto Histórico e Geográfico Brasileiro*, Rio de Janeiro, v. 436, p. 303-333, maio/jun. 2007.

DEL PRIORE, Mary. *As vidas de José Bonifácio*. Rio de Janeiro: Estação Brasil, 2019.

DEL PRIORE, Mary. *Histórias da gente Brasileira*: Colônia – v. 1. São Paulo: Leya, 2016a.

DEL PRIORE, Mary. *Histórias da gente Brasileira*: Império – v. 2. São Paulo: Leya, 2016b.

DIEGUES, Fernando Manuel Fontes. A estratégia da Independência. *Revista Marítima Brasileira*, v. 133, p. 21-34, jan./mar. 2013.

DOLHNIKOFF, Miriam. *Pacto imperial*: origens do federalismo no Brasil do século XIX. São Paulo: Globo, 2005.

DOMINGUES, Ângela. O Brasil nos relatos de viajantes ingleses do século XVIII: produção de discursos sobre o Novo Mundo. *Revista Brasileira de História*, São Paulo, v. 28, n. 55, p. 133-152, 2008.

DUBY, Georges; PERROT, Michelle. *Histoire des femmes em Occident*: le XIXe siècle. Paris: Plon, 1991.

EBEL, Ernest. *O Rio de Janeiro e seus arredores em 1824*. São Paulo: Companhia Editora Nacional, 1972.

ERTZOGUE, Marina Heizenreder. Solidão tanto quanto possível: anotações de um diário de viagem ao Brasil de Maria Graham. In: XXIV SIMPÓSIO NACIONAL DE HISTÓRIA. Brasília: Associação Nacional de História, 2007.

FAUSTO, Boris. *História concisa do Brasil*. São Paulo: EdUSP/Imprensa Oficial do Estado, 2002.

FERGUSON, Niall. *Império*: como os britânicos fizeram o mundo moderno. São Paulo: Planeta, 2010.

FERNANDES, Daniel Costa. *A política externa da Inglaterra*: análise histórica e orientações perenes. Brasília: Fundação Alexandre de Gusmão, 2011.

FERREZ, Gilberto. Introdução. In: HAMOND, Graham Eden. *Os diários do Almirante Graham Eden Hamond*. Rio de Janeiro: J. B., 1984.

FIGUEIREDO, Aldrin Moura de. Memórias cartaginesas: modernismo, Antiguidade clássica e a historiografia da Independência do Brasil na Amazônia, 1823-1893. *Revista Estudos Históricos*, Rio de Janeiro, v. 22, n. 43, jan.-jun. 2009. p. 180-181.

FIGUEIREDO, Margareth. Influência pombalina na morfologia urbana de São Luís do Maranhão. *Revista Convergência Lusíada*, v. 25, n. 32, jul-dez. 2014.

FORSTER, E. M. *Howards End*. Rio de Janeiro: Editora Globo, 2005.

FOSTER, Ann. Diseases of Virgins and Spinsters: The Gynephobic History of Clorosis and Hysteria. *Lady Scinece*, 2018.

FRAGOSO, João; FLORENTINO, Manolo. *O arcaísmo como projeto: mercado atlântico, sociedade agrária e elite mercantil em uma sociedade colonial tardia: Rio de Janeiro, c. 1790-c. 1840*. Rio de Janeiro: Diadorim, 1993.

FRAGOSO, João Luís Ribeiro. *Homens de grossa aventura: acumulação e hierarquia na praça mercantil do Rio de Janeiro (1790-1830)*. Rio de Janeiro: Arquivo Nacional, 1992.

FRANÇA, Antônio d'Oliveira Pinto da (Org.). *Cartas baianas, 1821-1824*: subsídios para o estudo dos problemas da opção na Independência brasileira. 2. ed. São Paulo: Editora Nacional, 2009.

FRANÇA, Jean Marcel Carvalho (Org.). *Mulheres viajantes no Brasil (1764-1820)*: Jemima Kindersley, Elizabeth Macquarie, Rose Freycinet. Rio de Janeiro: José Olympio, 2007.

FRANCHINI NETO, Hélio. *Independência e morte*: política e guerra na emancipação do Brasil (1821-1823). Tese (Doutorado em História) – Programa de Pós-Graduação em História, Universidade de Brasília. Brasília, 2015.

FREYRE, Gilberto. *Ingleses no Brasil*. Rio de Janeiro: José Olympio, 1948.

FREYRE, Gilberto. *Sobrados e Mocambos*. Rio de Janeiro: José Olympio, 1951.

GALSKY, Nélio. *Mercenários ou libertários*: as motivações para o engajamento do Almirante Cochrane e seu grupo nas lutas da Independência do Brasil. Dissertação (Mestrado em História). Faculdade de História, Universidade Federal Fluminense. Rio de Janeiro, 2006.

GALVES, Marcelo Cheche. "Aderir", "jurar" e "aclamar": o Império no Maranhão (1823-1826). *Revista Almanack*, Guarulhos, n. 1, p. 105-118, 2011.

GALVES, Marcelo Cheche. *"Ao público sincero e imparcial"*: imprensa e independência no Maranhão (1921-1823). Tese (Doutorado em História) – Instituto de Ciências Humanas e Filosofia, Universidade Federal Fluminense. Niterói, 2010.

GALVES, Marcelo Cheche. Entre os lustros e a lei: portugueses residentes na cidade de São Luís na época da Independência do Brasil. In: XII ENCONTRO REGIONAL DE HISTÓRIA. Rio de Janeiro: Associação Nacional de História, 2006.

GALVES, Marcelo Cheche. *Sobre as lutas contra a Independência na América Portuguesa*: os "portugueses" da província do Maranhão. Maranhão: Universidade Estadual do Maranhão, 2013.

GILLIES, Ana Maria Rufino. Ingleses no Brasil: imaginário, representações e as diferentes configurações sociais da presença britânica no Brasil do século XIX. *Estudios del ISHiR*, v. 10, p. 23-38, 2014. Disponível em: https://bit.ly/336gaCE. Acesso em: 07 fev. 2022.

GLEDHILL, Sabrina. Lord Cochrane e a Independência do Brasil na Bahia. *Conversando com a sua História*, n. 02, jul. 2014.

GOMES, Angela Maria de Castro (Org.). *Escrita de si, escrita da história*. Rio de Janeiro: Editora FGV, 2004.

GOMES, Laurentino. *1822*. Rio de Janeiro: Nova Fronteira, 2010.

GONÇALVEZ, Margareth de Almeida. Subjetividade e viagem em Maria Graham. In: XXIII SEMINÁRIO NACIONAL DE HISTÓRIA. Londrina: Associação Nacional de História, 2005.

GRAHAM, Maria. *Diário de mi residência em Chile (1822) e mi viaje ao Brasil em (1923)*. Madrid: Editorial América, 1964.

GRAHAM, Maria. *Diário de uma viagém ao Brasil*. Belo Horizonte: Itatiaia, 1990.

GRAHAM, Maria. Escorço biográfico de D. Pedro I com a notícia do Brasil e Rio de Janeiro. *Anais da Biblioteca Nacional do Rio de Janeiro*, Rio de Janeiro, v. LX, 1938.

GRAHAM, Richard. *Grã-Bretanha e o início da modernização do Brasil*. São Paulo: Brasiliense, 1973.

GREENHALGH, Juvenal. *O arsenal da marinha no Rio de Janeiro na História (1763-1822)*. São Paulo: À Noite, 1951.

GRIMBLE, Ian. *The Sea Wolf:* The Life of Admiral Cochrane. Edinburgh: Birlinn Limited, 2000.

GUEDES, Max Justo. A Marinha nas lutas da Independência. *Revista do Instituto Histórico e Geográfico Brasileiro*, v. 298, jan./mar. 1973.

GUIMARÃES, A. C. D'Araújo. *A corte no Brasil:* figuras e aspectos. Porto Alegre: Globo, 1936.

HALL, Catherine; ROSE, Sonya O. (Ed.). *At home with the Empire*: Metropolitan Culture and the Imperial World. Cambridge: Cambridge University Press, 2007.

HAMOND, Graham Eden. *Os diários do Almirante Graham Eden Hamond 1825-1834/38*. Rio de Janeiro: Editora J.B., 1984.

HARVEY, Robert. *Cochrane*: The life and Exploits of a Fighting Captain. London: Constable, 2000.

HILL, Bridget. *Women Alone*: Spinsters in England, 1660-1850. New Haven: Yale University Press, 2001.

HOBSBAWN, Eric J. *A era das revoluções*. São Paulo: Paz e Terra, 1979.

HOLANDA, Sérgio Buarque de. *História Geral da Civilização Brasileira*, (tomos I e II). São Paulo: Difel, 1960.

HOLANDA, Sérgio Buarque de. *O Brasil Monárquico*: o processo de emancipação. 4. ed. São Paulo: Difusão Europeia do Livro, 1976.

JANCSÓ, István (Org.). *Brasil*: formação do Estado e na nação. São Paulo: Hucitec; Ed. Unijuí; Fapesp, 2003.

JEHA, Silvana Cassab. *A galera heterogênea*: naturalidade, trajetória e cultura dos recrutas e marinheiros da armada nacional e imperial do Brasil , c. 1822-c. 1854. Tese (Doutorado em História) – Pós-Graduação em História Social da Cultura, Pontifícia Universidade Católica do Rio de Janeiro. Rio de Janeiro, 2011.

JEHA, Silvana Cassab. Cores e marcas dos recrutas e marujos da armada, c. 1822-c. 1860. *Revista de História Comparada*, Rio de Janeiro, v. 7, n. 1, p. 36-66, 2013.

KENNEDY, Paul. *The Rise and Fall of British Naval Mastery*. London: Penguin, 2004.

KNIGHT, Alan. Britain and Latin America. In: PORTER, Andrew (Ed.). *The Nineteenth Century*. Oxford: Oxford University Press, 1999. p. 122-145.

KOSTER, Henry. *Viagens ao Nordeste do Brasil*. Recife: Fundação Joaquim Nabuco; Massangana, 2002.

KRAAY, Hendrik. "Em outra coisa não falavam os pardos, cabras e crioulos": o "recrutamento" de escravos na guerra de Independência na Bahia, 1822-1823. *Revista Brasileira de História*, n. 43, v. 22, p. 109-126, 2002.

KRAAY, Hendrik. Muralhas da Independência e liberdade do Brasil: A participação popular nas lutas políticas (Bahia, 1820-1825). In: MALERBA, Jurandir (Org.). *A Independência brasileira*: novas dimensões. Rio de Janeiro: Editora da Fundação Getúlio Vargas, 2006. p. 303-41.

LACOMBE, Américo Jacobina (Trad.). *Correspondência entre Maria Graham e a Imperatriz Leopoldina*. Belo Horizonte: Itatiaia, 1997.

LAGO, Tomás. *La viajera ilustrada*: vida de María Graham. Lima: Planeta, 2000.

LAMBERT, David; LESTER, Ana (Ed.). *Colonial Lives Across the British Empire*: Imperial Careering in the Long Nineteenth Century. Cambridge: Cambridge University Press, 2006.

LEITE, Glacyra Lazzari. *Pernambuco 1824*: a confederação do Equador. Recife: Fundação Joaquim Nabuco; Massangana, 1989.

LEMOS, Juvêncio Saldanha. *Os mercenários do Imperador*. Rio de Janeiro: Biblioteca do Exército, 1996.

LENZ, Sylvia Ewel. A presença britânica na corte Imperial. *Revista de história Locus*, v. 14, n. 2, p. 207-221, 2008.

LIMA, Manuel de Oliveira. *O movimento da independência (1821-1822)*. 6. ed. Rio de Janeiro: Topbooks, 1997.

LIMA SOBRINHO, Barbosa. *Pernambuco*: da Independência à Confederação do Equador. Recife: Secretaria de Educação e Cultura, Conselho Estadual de Cultura, 1979.

LINEBAUGH, Peter; REDIKER, Marcus. *A hidra de muitas cabeças*: marinheiros, escravos, plebeus e a história oculta do Atlântico revolucionário. São Paulo: Companhia das Letras, 2008.

LUCCOCK, John. *Notas sobre o Rio de Janeiro e partes meridionais do Brasil*. São Paulo: Itatiaia; EdUSP, 1975.

LUSTOSA, Isabel. *D. Pedro I*. São Paulo: Companhia das Letras, 2006.

LUSTOSA, Isabel. *O nascimento da imprensa brasileira*. Rio de Janeiro: Zahar, 2003.

LYRA, Maria de Lourdes Vianna. *A utopia do poderoso império*: bastidores da política 1798-1822. Rio de Janeiro: Sette Letras, 1994.

MACFARLANE, Alan. *História do casamento e do amor*. São Paulo: Companhia das Letras, 1990.

MACHADO, Josicarla Alves. *Relatos de um "mercenário" na Independência do Brasil*: a memória biográfica de Thomas John Cochrane (1823-1825). Monografia (Licenciatura em História) – Centro de Educação e Ciências Humanas, Universidade Federal de Sergipe. Sergipe, 2016.

MAGALHÃES, Pablo Antonio Iglesias. A palavra e o império: Manoel de Freitas brazileiro e a Nova Grammatica Ingleza e Portuguesa. *Revista de Pesquisa Histórica CLIO*, n. 1, v. 31, 2013.

MALERBA, Jurandir. *A corte no exílio*: civilização e poder no Brasil às vésperas da Independência (1808 a 1821). São Paulo: Companhia das Letras, 2000.

MALERBA, Jurandir. *A Independência brasileira*: novas dimensões. Rio de Janeiro: Edições FGV, 2006.

MANCHESTER, Alan K. *Preeminência inglesa no Brasil*. São Paulo: Brasiliense, 1973.

MARIZ, Vasco. *Retratos do Império*. Rio de Janeiro: Topbooks, 2016.

MARTINS, Helio Leoncio. *Almirante Lorde Cochrane*: uma figura polêmica. Rio de Janeiro: Clube Naval, 1997.

MARTINS, Helio Leoncio. O corso nas costas do Brasil (1826-1828). *Revista do Instituto Histórico e Geográfico Brasileiro*, ano 162, n. 411, p. 79-94, abr./jun. 2001.

MARTINS, Luciana de Lima. *O Rio de Janeiro dos viajantes britânicos (1800-1850)*. Rio de Janeiro: Zahar, 2001.

MATHISON, Gilbert Farquhar. *Narrative of a Visit to Brazil, Chile, Peru and the Sandwich Islands*. London: Forgotten Books, 2018.

MATTOS, Ilmar Rohloff de. *O tempo saquarema*. São Paulo: Hucitec, 1990.

MAURO, Frederic. *L'Expansion Européenne (1600-1870)*. Paris: Presses Universitaires de France, 1964.

MAWE, John. *Viagens pelo interior do Brasil*. Belo Horizonte: Itatiaia; São Paulo: EdUSP, 1978. p. 122.

MAXWELL, Kenneth. *Chocolate, piratas e outros malandros*: ensaios tropicais. São Paulo: Paz e Terra, 1999.

MEIRELLES, Juliana G. *Imprensa e poder na corte joanina*: a Gazeta do Rio de Janeiro (1808-1821). Rio de Janeiro: Arquivo Nacional, 2008.

MELLO, Alexandre; MELLO, Nilva. *A Guerra da Independência no Mar da Bahia*. São Paulo: Instituto Histórico e Geográfico Brasileiro, 1974.

MELLO, Evaldo Cabral de. *A educação pela guerra*: leituras cruzadas de história colonial. São Paulo: Penguin Classics; Companhia das Letras, 2014.

MELLO, Evaldo Cabral de. *A outra independência*: o federalismo pernambucano de 1817 a 1824. 2ª ed. São Paulo: Editora 34, 2014.

MELLO, Evaldo Cabral de. Frei Caneca e a outra Independência. In: MELLO, Evaldo Cabral de (Org.). *Frei do Amor Divino Caneca*. São Paulo: Editora 34, 2001. (Coleção Formadores do Brasil).

MELLO, Saulo Alvaro de. Eugenia na Marinha Imperial brasileira (1822-1910). In: XXVI SIMPÓSIO NACIONAL DE HISTÓRIA, 2011, São Paulo. *Anais* [...]. São Paulo: Associação Nacional de História, jul. 2011.

MELLO LEITÃO, C de. *O Brasil visto pelos ingleses*. São Paulo: Companhia Editora Nacional, 1939.

MELLO LEITÃO, C. de. *Visitantes do Primeiro Império*. Rio de Janeiro: Companhia Editora Nacional, 1934.

MENDONÇA, Renato. *Um diplomata na corte da Inglaterra*: o barão de Penedo e sua época. São Paulo: Companhia Editora Nacional, 1942.

MEYSENBUG, Malwida von. *Mémoires* d'une *idealiste*. Paris: Mercure de France, 2019.

MOLINA, Matias. *História dos jornais no Brasil*: da era colonial à Regência (1500-1840), v. I. São Paulo: Companhia das Letras, 2015.

MONTELLO, Josué (Org.). *História da Independência do Brasil*, v. II. Guanabara: Casa do Livro, 1972. p. 197.

MORAES, Alexandre de Mello. *História do Brasil-Reino e Brasil-Império*. Belo Horizonte, Itatiaia; São Paulo: IEdUSP, 1982.

MOTA, Antonia da Silva. A atividade fabril em São Luís do Maranhão, século XVIII ao XX. In: MELO NETO, Ulisses Pernambucano; MOTA, Antonia da Silva. (Orgs.). *A Sedução das Ruínas*: arqueologia, salvamento e resgate. 1 ed. São Luís: Iphan/Edufma, 2015.

MOTA, Carlos Guilherme. *1822*: dimensões. São Paulo: Perspectiva, 1972.

MUCHEMBLED, Robert. *Insoumises*: une autre histoire des françaises, XVIe-XXe siècle. Paris: Autrement, 2013.

NORTON, Luís. *A corte de Portugal no Brasil*. São Paulo: Companhia Editora Nacional, 2008.

NOVAIS, Fernando A. *Portugal e Brasil na crise do Antigo Sistema Colonial (1777-1808)*. São Paulo: Hucitec, 1995.

OBERACKER Jr., Carlos H. *A imperatriz Leopoldina, sua vida e época*: ensaio de uma biografia. Rio de Janeiro: Conselho Nacional de Cultura, 1973.

PASSETTI, Gabriel. Os britânicos e seu Império: debates e novos campos da historiografia do período vitoriano. *Revista História*, v. 35, p. 1-24, 2016.

PIMENTA, João Paulo G. A independência do Brasil como uma revolução: história e atualidade de um tema clássico. *História da Historiografia: International Journal of Theory and History of Historiography*, Ouro Preto, n. 3, v. 2, p. 53-82, 2009.

PINHO, Wanderley de Araújo. A Bahia (1808-1856). In: HOLANDA, Sérgio Buarque de. *História Geral da Civilização Brasileira*, v. 1, tomo 2. São Paulo: Difel, 1962.

PORTO, Denise Maria G. *A voz feminina e estrangeira de Maria Graham na construção de uma narrativa historiográfica sobre o Brasil Oitocentista 1821-1825*. Dissertação (Mestrado em História) – Universidade Salgado de Oliveira. Niterói, 2019.

PORTO, Denise Maria G. Maria Graham e D. Leopoldina: iluminismo, destinos e desventuras na corte de D. Pedro I. *Revista do Instituto Histórico e Geográfico do Rio de Janeiro*, ano 24, n. 24, p. 123-140, 2017.

PORTO, Maíra Guimarães Duarte. *Para inglês ver: uma análise de* Journal of a Voyage to Brazil, *de Maria Graham*. Dissertação (Mestrado em História) – Universidade de Brasília. Brasília, 2017.

PORTO ALEGRE, Maria Sylvia. A intrépida Maria Graham e as lutas da Independência (1821-1826). In: 35º ENCONTRO ANUAL DA ANPOCS, 2011, Caxambu. Caxambu: Portal das Ciências Sociais Brasileiras, 2011.

PRATT, Mary Louise. *Os olhos do Império*: relatos de viagem e transculturação. Bauru: EDUSC, 1999.

RANGEL, Alberto. *Os dois ingleses*: Strangford e Stuart. Rio de Janeiro: Conselho Federal de Cultura, 1972.

REBOUÇAS, Antônio Pereira. Recordações patrióticas 1821-1822. *Revista do Instituto Histórico e Geográfico Brasileiro*, Bahia, n. 48, 1923.

REIS, João José, O jogo duro do Dois de Julho: o "partido negro" e a independência da Bahia. In: REIS, João José; SILVA, Eduardo. *Negociação e conflito*: a resistência negra no Brasil escravista. São Paulo: Companhia das Letras, 1989.

REZZUTTI, Paulo. *D. Pedro*: a história não contada. São Paulo: Leya, 2015.

ROCHA, Antônio Penalves. *A recolonização do Brasil pelas cortes*: história de uma invenção historiográfica. São Paulo: Editora UNESP, 2009

RODRIGUES, Leda Boechat (Org.). *Uma história diplomática do Brasil (1531-1945)*. Rio de Janeiro: Civilização Brasileira, 1995.

SAID, Edward. *Cultura e Imperialismo*. São Paulo: Companhia das Letras, 1995.

SCHLICHTHORST, C. *O Rio de Janeiro como é (1824-1828)*. Trad. Emmy Dodt e Gustavo Barroso. Brasília: Senado Federal, 2000.

SCHULTZ, Kirsten. *Versalhes tropical*: império, monarquia e a corte real portuguesa no Rio de Janeiro, 1808-1821. Rio de Janeiro: Civilização Brasileira, 2008.

SETH, Catriona. *La fabrique de l'intime: mémoires et journaux de femmes du XVIII siécle*. Paris: Robert Laffont, 2013.

SILVA, Alberto da Costa e (Coord.). *Crise Colonial e Independência (1808-1830)*. Rio de Janeiro: Objetiva, 2011.

SILVA, Any Marry. *Maria Graham*: a performatividade nos diários de viagens da América do Sul no século XIX. Dissertação (Mestrado em História Social) – Faculdade de Ciências Sociais, Pontifícia Universidade Católica de São Paulo. São Paulo, 2019.

SILVA, Luiz Geraldo Santos da. O avesso da independência: Pernambuco (1817-24). In: MALERBA, Jurandir (Org.). *A Independência brasileira*: novas dimensões. Rio de Janeiro: Editora FGV, 2006. p. 379.

SILVA, Maria Beatriz Nizza da. *Cultura e sociedade no Rio de Janeiro (1808-1821)*. São Paulo: Companhia Editora Nacional, 1978.

SILVA, Maria Beatriz Nizza da (Org.). *Dicionário da História da Colonização portuguesa no Brasil*. Lisboa: Verbo, 1994.

SIMONSEN, Roberto. *História econômica do Brasil (1500-1820)*. São Paulo: Companhia Editora Nacional, 1957.

SOUTHEY, Robert. *História do Brasil*. Barcelona: Obelisco, 1965.

SOUZA, Antonio Moniz. Breve notícia sobre a revolução do Brasil em 1821 nas províncias da Bahia, Sérgipe e Alagoas. *Revista do Instituto Histórico e Geográfico Brasileiro*, Rio de Janeiro, n. 72, 1945.

SOUZA, Octávio Tarquínio de. *A vida de D. Pedro I, Vol. 1*. Rio de Janeiro: José Olympio, 1952.

TARANTINI, Pereira Freire. Da defesa do império à punição: usos do recrutamento no Maranhão Imperial. In: III SIMPÓSIO MARANHÃO OITOCENTISTA. Maranhão, 2013.

TAVARES, Davi Kiermes; COLVERO, Ronaldo Bernardino. Ingleses no Brasil: estilo de viver, estilo de morrer. In: XIV SEMINÁRIO DE HISTÓRIA

DA ARTE, n. 5, 2015. Pelotas: Universidade Federal de Pelotas 2015. Disponível em: https://bit.ly/34zsFHb. Acesso em: 07 fev. 2022.

TAVARES, Luís Henrique Dias. *História da Bahia*. 11 ed. São Paulo: Unesp, 2009.

VAINFAS, Ronaldo. *Dicionário do Brasil Imperial*. Rio de Janeiro: Objetiva, 2009.

VALE, Brian. A ação da Marinha na Confederação do Equador. In: *História Naval Brasileira*, v. 3, tomo I. Rio de Janeiro: Serviço de Documentação da Marinha, 2002. p. 133-155.

VALE, Brian. A criação da Marinha Imperial. In: *História Naval Brasileira*, v. 3, tomo I. Rio de Janeiro: Serviço de Documentação da Marinha, 2002. p. 78.

VALE, Brian. *Independence or Death*: British Sailors and Brazilian Independence, 1822-25. London, New York: I. B. Tauris Publishers, 1996.

VALE, Brian. *The Audacious Admiral Cochrane*: The True Life of a Naval Legend. London: Conway Maritime Press, 2004.

VALE, Brian. *Una guerra entre ingleses*: Brasil contra Argentina en el Río de la Plata, 1825-1830. 1 ed. Buenos Aires: Instituto de Publicaciones Navales, 2005.

VIANNA, Helio. *História do Brasil*: período colonial, monarquia e república. 15. ed. São Paulo: Melhoramentos, 1994.

YOUNG, Arlene. *From Spinster to Career Woman*: Middle-class Women and Work. Montreal: McGill-Queen's University Press, 2019.

ZELDIN, Theodore. *Uma história íntima da humanidade*. Rio de Janeiro: Record, 1996.

ZUBARAN, Maria Angélica. O olhar de uma inglesa sobre o Brasil Oitocentista: o Diário de viagem de Maria Graham (1821-1824). *Revista Métis: História e Cultura*, v. 3 p. 253-271, jan/jun. 2004.

Jornais pesquisados:

- A Malagueta - 1824 (RJ)
- Abelha do Itaculumy - 1824 a 1825 (MG)
- Argos da Lei - 1825 (MA)
- Atalaia - 1823 (RJ)
- O Compilador Mineiro - 1823 (MG)
- Correio do Rio de Janeiro - 1823 (RJ)
- Diário do Rio de Janeiro - setembro/outubro/novembro/dezembro de 1821 (RJ)
- Diário do Rio de Janeiro - janeiro de 1822 (RJ)
- Diário da Assembleia Geral, Constituinte e Legislativa do Império do Brasil - 1823 (RJ)
- Gazeta Extraordinária do Governo da Província do Maranhão - 1823 (MA)
- Grito da Razão - 1824 (BA)
- Diário do Governo (Brasil Império) - 1823 a 1824 (CE)
- O Censor Maranhense - 1825 (MA)
- O Espelho – 1823 (RJ)
- O Reverbero: Constitucional Fluminense – 1871 (BA) (notícia de 1823)
- O Spectador Brasileiro - 1824 a 1825 (RJ)
- O Tamoyo - 1823 (RJ)
- Semanário Mercantil - 1823 (RJ)
- Sentinela da Liberdade a Beira do Mar da Praia Grande - 1823 (RJ)
- Sentinela da Liberdade na guarita de Pernambuco - 1823 (PE)

Agradecimentos

Profa. Denise G. Porto, pela pesquisa iconográfica.
Prof. José Antônio Medeiros Ameijeiras, pela pesquisa documental.
Almirante Armando de Senna Bittencourt, pelas indicações iniciais.
Prof. Dr. Euges Lima IHGMA, pelas informações bibliográficas sobre o Maranhão.
Arquivo da Marinha, pelas prestimosas informações.

■ Maria Graham, por *Sir* Thomas Lawrence (1819).

■ D. Pedro I, por Simplício de Sá (1830).

■ Dom Pedro I e Dona Leopoldina na Casa dos Expostos, por Arnaud Pallière (1826).

■ Thomas Cochrane trajando o uniforme da Marinha Real Inglesa (1809).

■ Horizonte de Salvador, Bahia, por Maria Graham (1824).

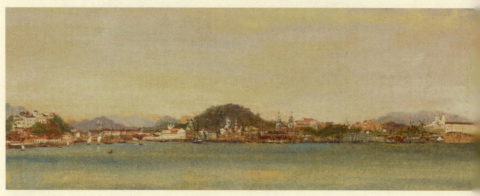

■ Detalhe do panorama da Baía de Guanabara, Rio de Janeiro, pelo pincel de Maria (1825).

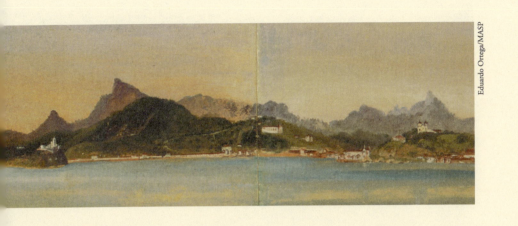

■ As praias de Quintero, Chile, por Maria (1824).

■ Vista do Palácio de São Cristóvão durante o reinado de D. Pedro I, já com o portão e o Torreão Norte construídos, por Maria (1823).

■ Nau *Pedro I*, capitânia de *Lord* Cochrane, por Eduardo de Martino (séc. XIX).

■ Vista da planície do Botafogo, Rio de Janeiro.

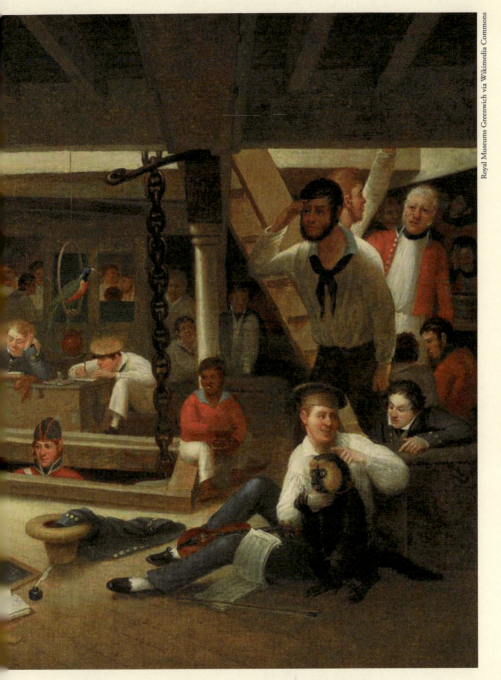

■ Interior de nau de guerra britânica, por Augustus Earle (1836).

■ Vista do outeiro da Glória, Rio de Janeiro, por Maria (1823).

■ Paisagem do bairro Laranjeiras, Rio de Janeiro, por Maria (1821).

■ Pátio da Igreja do Carmo em Pernambuco, Recife, por Franz Heinrich Carls (1878).

■ Vista de Belém, Pará, por Spix e Martius (1825).

■ Cemitério dos Ingleses, Rio de Janeiro, por Maria (1824).

■ Vista do Corcovado, Rio de Janeiro, por Maria (1821-1825).

Este livro foi composto com tipografia Adobe Garamond e
impresso em papel Off-White 80 g/m² na Formato Artes Gráficas.